こじらせ文学史
文豪たちのコンプレックス
堀江宏樹
HATARAKITAKUNA
GAOOOOOOOO
ABCアーク

こじらせが文学をつくるのか、文学が人をこじらせるのか

「天才に狂気を持たぬものはいない」――古代ギリシャの哲学者・アリストテレスの有名な格言ですが、これは彼の『詩学』第17章の内容をキャッチーにまとめたものであろうと思われます。つまりアリストテレスの指摘する天才とは、おもに文学の天才を指していました。彼の師匠であるプラトンも、「もっとも美しいフレーズを書くとき、詩人は正気ではない」（『イオン』）という言葉を残しています。

古代ギリシャの賢人たちが言う「狂気」とは、必ずしも病的な状態を指すのではなく、柔らかく言いかえれば、現代日本の「こじらせ」に近いように感じられます。

世間一般の「ふつう」から、どこかはみ出してしまい、トラブルを招いたり、ストレスを抱えたりする――まさに、こじらせている人だからこそ、その常な

らぬ性質や苦悩を文学に昇華させ、才能を開花させることができたのではないか。そんな発想から本書は生まれました。

古今東西、日本や世界の文豪たちの創作活動の影に、彼らのこじらせという要素がいかに関わっていたかを検証するという、それ自体、こじらせ感が強い試みです。

「こじらせ」をテーマに文豪たちの人生を読み解いていくと、興味深い真実も見えてきました。

文豪たちのこじらせ方は実に多様で、彼らが生まれた時代が影響しているものもあれば、遺伝的なものもあるし、文学者になったからこそ、余計にこじらせていってしまったのではないかと考えられるケースもありました。

こじらせが文学をつくるのか、文学が人をこじらせるのか……答えが出ない問いではありますが、本書が読者のみなさまにとって、文豪たちの名著創造の秘密に迫るきっかけとなれば、これ以上の幸せはありません。

はじめに 2

◆紀 貫之 出世できず、歌の道に邁進 12
◆清少納言 自己顕示と毒舌の裏側 14
◆紫 式部 職場でいじめられて引きこもる 19
◆和泉式部 本能に忠実すぎてスキャンダル連発 23
◆菅原孝標女 『源氏物語』の限界オタク 26
◆西行法師 失恋で電撃出家 28
◆藤原定家 貴人たちにこき使われる 31
◆井原西鶴 やばめの性癖を力説 34
◆小林一茶 財産と子づくりへの執着 36
◆曲亭馬琴 武家社会から脱落し、フェチ小説家になる 40
◆中江兆民 全力で葬式を拒絶 43
◆森 鷗外 血の気が多すぎて「日本初の近代文学論争」を起こす 45
COLUMN 鷗外にしては読みやすい史伝小説『魚玄機』 49
◆二葉亭四迷 エリートの挫折 51
◆夏目漱石 身長コンプレックス 53
◆尾崎紅葉 文豪・泉鏡花を誕生させたパワハラ 56
◆国木田独歩 刃物を突きつけて求婚 59

◆田山花袋　モデルの人生を狂わせた『蒲団』　61
◆島崎藤村　姪を孕ませて海外逃亡　64
◆北村透谷　元祖「処女厨」　67
◆樋口一葉　想い人と泣く泣く絶縁　69
◆泉　鏡花　極度の潔癖症　74
◆与謝野晶子　情熱的すぎた夫婦関係　76
◆永井荷風　偏屈な「偏奇館」主人　79
◆斎藤茂吉　冷え切った夫婦関係と熱すぎる不倫恋愛　82
◆高村光太郎　結婚しない主義　84
◆志賀直哉　里見弴とのこじれた恋愛関係　86
◆北原白秋　国民的詩人のひどい癇癪　88
◆若山牧水　子持ち人妻に5年を捧げる　90
◆柳原白蓮　血統への異常なプライド　93
◆石川啄木　小説を書く根気がなくて歌人になった　95
◆谷崎潤一郎　文壇を驚かせた「細君譲渡事件」　98
◆萩原朔太郎　文豪仲間とのボーイズ・ラブ　101
◆折口信夫　弟子へのセクハラ・パワハラ　103

◆里見弴　あえてのプラトニック・ラブ　105
◆菊池寛　コンプレックスを暴露される　107
◆岡本かの子　マイペースな嫌われ者　110
COLUMN　文豪のこわい話　113
◆内田百閒　借金が快感になってしまった　115
◆室生犀星　ベストセラーを生んだ容貌コンプレックス　118
◆直木三十五　浪費がモットーの金欠人生　120
◆芥川龍之介　「ぼんやりした不安」の正体　122
◆佐藤春夫　無期限停学でサボリ癖がつく　125
◆江戸川乱歩　仕事が死ぬほど続かなかった　127
◆金子光晴　パリの最下層で夫婦関係をこじらせる　130
◆宮沢賢治　性欲と戦い、童貞を熟成させた　132
◆宇野千代　「奔放な女」の苦悩　135
◆井伏鱒二　美少年すぎて人生が狂った　138
◆横光利一　坂口安吾も呆れた寡欲　141
◆川端康成　ゴーストライター使用疑惑　142

◆稲垣足穂　独特すぎる生活態度　145
◆梶井基次郎　こじらせ童貞　147
◆森茉莉　貧乏アパートで暮らした「精神的貴族」　149
◆林芙美子　愛人を追いかけてパリまで行く　152
◆堀辰雄　上流階級に憧れた下町育ち　154
◆坂口安吾　睡眠薬中毒で奇行連発　156
◆中原中也　放蕩無頼のダメ人間　158
◆中島敦　虎よりもケダモノな女ぐせ　161
◆太宰治　芥川龍之介が好きすぎた　163
◆檀一雄　家庭志向と放浪癖の矛盾　168
◆田中英光　太宰治の墓前で自害　171
◆織田作之助　「コタツ記事」の名手　173
◆瀬戸内寂聴　駆け落ち失敗、一人で出奔　174
◆遠藤周作　キリスト教との微妙な関係　176
◆三島由紀夫　コンプレックスの塊　181
◆澁澤龍彦　あまりにも鈍感　183
COLUMN　文豪の口説き文句　186

◆杜甫　李白への片想い　190
◆ウィリアム・シェイクスピア　『ヴェニスの商人』以上の守銭奴　192
◆ゲーテ　『魔王』の歌詞に込められた父親ディス　195
◆スタール夫人　ナポレオンの浴室に押しかけて玉砕　197
◆ジェーン・オースティン　『高慢と偏見』の糧となったこじらせ恋愛　199
◆グリム兄弟　強すぎる兄弟愛　201
◆バルザック　厄介な創作意欲の法則　203
◆ヴィクトル・ユーゴー　息子の恋人を寝取る　205
◆アレクサンドル・デュマ　盗作を正当化　207
◆ジョルジュ・サンド　ショパンとの関係をこじらせる　210
◆アンデルセン　「ビジネス童貞」疑惑　212
◆エドガー・アラン・ポー　富豪の養子になるも転落　215
◆ゴーゴリ　衝動的に原稿を燃やして後悔　217
◆ディケンズ　愚行がやめられない　220
◆ドストエフスキー　不器用な恋愛遍歴　223
◆ロセッティ　詩集のために妻の墓を掘り起こす　225

◆トルストイ　罪深い性欲　226
◆マーク・トウェイン　とんでもない「異世界転生モノ」を書く　229
◆リラダン　高すぎる身分と低すぎる所得　231
◆ユイスマンス　心霊戦争に巻き込まれたオカルト小説家　233
◆モーパッサン　梅毒で狂気に陥る　235
◆コナン・ドイル　シャーロック・ホームズを書きたくなかった　236
◆チェーホフ　美貌へのこだわりと死への恐怖　239
◆ビアトリクス・ポター　きのこ学者の道を挫折　242
◆トーマス・マン　美しい若者が大好き　244
◆ヘルマン・ヘッセ　逃げ癖がひどすぎて悪魔祓いされる　246
◆フランツ・カフカ　自己肯定感が低すぎる　248
◆D・H・ロレンス　『チャタレー夫人の恋人』でフェチ開陳　250
◆アガサ・クリスティ　生涯沈黙した謎の失踪事件　252
◆ヘンリー・ミラー　愛人女性を妻と共有　254
◆フィッツジェラルド　ヘミングウェイと妻との三角関係　256
◆ヘミングウェイ　「男らしさ」と女装癖の相克　258
◆テネシー・ウィリアムズ　寂しがり屋すぎる　260

◆マルグリット・デュラス　毒親から利用されて愛をこじらせた　262
◆サリンジャー　犯罪者に愛されて禁書化した『ライ麦畑でつかまえて』　264
◆カポーティ　元祖「オネエ系文化人」の心の闇　267

珍事・トラブル・不祥事年表　270

引用・参考文献　276

※引用箇所は〈〉で示し、巻末の「引用・参考文献」に文献の詳細を記載しています（／の後ろには二次文献を記載）。読みやすくするため、一部、仮名づかいや字体、句読点を書き改めました。
※文豪の筆名については、日本でよく用いられているものを優先して表記しています。
※過去の貨幣価値について、はっきりと現代日本円に置き換えることはできません。本書では当時の物価や賃金、各文献の記述を参考にしつつ算出していますが、あくまで実験的な数字であることをご了承ください。

日本編

紀貫之（きのつらゆき）

868頃 - 945頃

出世できず、歌の道に邁進

平安前期の歌人、歌学者。生没年は諸説あり。醍醐天皇の勅命によって『古今和歌集』の選者となり、「仮名序」を執筆。漢文学の素養も深かった。『土佐日記』などの作品で、おもに女性が使っていた仮名文字による日記文学の可能性を広げ、女流作家たちが活躍できる素地をつくった。三十六歌仙のひとり。

六歌仙を次々とディスる「日本初の歌論」

〈男もすなる日記といふものを、女もしてみむとてするなり〉の冒頭文で有名な『土佐日記』。土佐の国司としての任期を終え、京に戻るまでの旅路を日記風に記したものだが、自分の身に起きた出来事について女性主人公の口を借りて描いたことで、紀貫之は現代のサブカル的文脈では「元祖ネカマ作家」などとも称される。ただし、なぜ女性の体（てい）で書いたかは定かではない。

貫之は日本初の勅撰和歌集『古今和歌集』の選者としても有名だが、彼が担当した「仮名序」（ひらがなで書かれた序文）はなかなか辛辣な歌論である。僧正遍照（そうじょうへんじょう）、在原業平（ありわらのなりひら）、文屋康秀（ふんやのやすひで）、喜撰（きせん）法師、小野小町、大伴黒主（おおとものくろぬし）という6人の名歌人たちを、表面上は持ち上げながらも次々とディスっているのだ。

理知的な歌詠みとして知られた貫之とは正反対と言える、恋愛体質の在原業平の歌風については、〈その心あまりて言葉たらず。いはばしぼめる花の色なくて、匂ひ残れるがごとし〉、つまり「業平の歌は『伝えたい』と思う気持ちが強すぎて、言葉が足りない。色褪せたドライフラワーに昔の匂いが残っているみたい」などと評した。文屋康秀についてはさらに辛口で、歌の内容と使った言葉の不釣り合いを「商人が立派な衣服を着ているみたい」と表現している。

紀氏は名門だったが、貫之の頃には藤原氏の勢いに押され衰えており、貫之も政治家としては大成できなかった。そのぶん、歌の道の覇者として君臨するべく、他の歌人――とりわけ六歌仙のような先達の、自分とは異なるタイプの才能の持ち主には厳しいライバル意識を持たざるをえなかったのではないか。自分とは異質の才能への嫉妬とも思われるような文章が、日本文学史における最初の歌論だとされているのは興味深い。

なお、明治になって和歌が「短歌」と呼ばれるようになり、より自由な表現が許される時代が来ると、「歌聖」として長年崇められた貫之も、正岡子規から〈下手な歌よみ〉だと酷評されてしまった（※『歌よみに与ふる書』）。

清少納言（せいしょうなごん）

自己顕示と毒舌の裏側

清少納言は『枕草子』第180段で、「色白でふくよかな美少女が虫歯の痛みと戦って、涙を流して前髪まで濡らしているのに萌える」と発言している（※章段番号は萩谷朴校注『枕草子　新潮日本古典集成』に準拠）。これは、清少納言が妙なフェチの持ち主だったわけではない。

中国には古来から、美女の条件として「明眸皓歯（めいぼうこうし）（きらきらした瞳と、真っ白い歯）」があったが、それと逆に、「虫歯の痛みに耐える女性が色っぽい」という価値観もあった。古くは『後漢書』の「梁冀傳（りょうきでん）」に見られ、後漢の大将軍・梁冀の妻の孫寿（そんじゅ）という女性はいつも虫歯が痛んでいるような顔つきで、まともな笑顔ひとつ見せようとしなかった。しかし、梁冀はそういう妻が好きで大いに可愛がったという。清少納言もこの書物を読んだことがあり、漢文の素養が深いことを見せつけたくて、『枕草子』に堂々と書いてしまったのだろう。

平安中期の歌人、文筆家。本名は不明。生没年は諸説あり。曾祖父・清原深養父、父・清原元輔も歌人。藤原道隆の娘・定子が一条天皇の中宮だった時代、その女房として出仕し、華麗な宮廷生活の一端を随筆『枕草子』にまとめた。定子が24歳の若さで逝去すると、宮仕えを退いた。中古三十六歌仙のひとり。

簾を持ち上げるのは「誤解釈」だった？

実生活でも、教養をひけらかす場面は多かった。ある雪の日、「香炉峰（こうろほう）の雪はどうやって見るの？」と、藤原定子（ていし）から問われた清少納言は『白氏文集』の中の〈香爐峰雪撥簾看〉を即座に思い出した。簾（すだれ）を高々と持ち上げて見せると、「定子さまはお笑いになった」というくだりも有名である。

ただし「撥（はつ）」の漢字をそのように解釈することは、少なくとも漢文の解釈上は間違いで、「簾を少しだけ動かして、その隙間から見る」と訳するのが正解である。清少納言が間違えてしまったのか、ジョークとしてわざと大げさに持ち上げたかは定かでないが、定子は清少納言の「誤答」に笑ったのかもしれない。

紫式部は、『紫式部日記』の中で清少納言について「得意顔でえらそうな人〈=したり顔にいみじう侍りける人〉」と評し、さらには「利口ぶって漢文を書き散らしているけど、よく見れば足りないところも多い〈=さばかりさかしだち、真名（まな）書き散らして侍るほども、よく見れば、まだいと足らぬこと多かり〉」と看破している。

専業主婦を「ニセモノの幸せ」と斬る

『枕草子』には辛辣な記述も多く、第104段では「色黒で醜く、髪の毛が薄いので部分カツラをつけた女が、ヒゲなどが毛深く、痩せて、やつれた男と、夏の昼間に添い寝しているのはとても見苦しい」（要旨）などという毒舌が飛び出している。

さらに第21段では「平凡な男に守られ、家庭の中でのうのうと生きる女の幸福など、ニセモノの幸せ〈＝えせさいわい〉にすぎない」と発言。出会いの数だけ誘惑も多い宮中での女房生活は、性愛モラルの乱れに直結していた。そのため、経済的な問題のない貴族の家庭では、妻や娘を女房にするのを控える傾向があった。しかし、宮中の女房になって、一流の人々と交流して得られた知見を『枕草子』に記した清少納言はきわめてキャリアウーマン志向が強く、親の言うとおりに結婚した専業主婦たちに対して思うところがあったのだろう。

清少納言自身は、天元4年（981）に中級貴族・橘則光（たちばなののりみつ）と結婚し、子どもを授かるが、のちに離婚している。確たる理由は伝えられていないが、橘には和歌などの文学的素養や風流心が欠けており、それを男性に求める清少納言との間には常に諍い（いさかい）が起きていた。疲れ果てた橘が、別れを切り出したのかもしれない。

幸せな思い出だけを詰め込んだ『枕草子』

『枕草子』には自嘲も含まれるものの、総じて清少納言の華麗なるライフスタイルを誇示するイメージが強い。これは『枕草子』が、清少納言と周辺の人々がもっとも幸福だった時代の思い出だけを詰め込んだ作品だからだろう。

清少納言がぞっこん惚れ込んでお仕えした藤原定子は、一条天皇の中宮（正室）だったが、実家・中関白家（なかのかんぱくけ）の没落につけこんできた藤原道長と、その愛娘・彰子によって天皇を奪われてしまった。『枕草子』では、そういう定子の悲劇はあえて描かれていない。また、定子の兄弟にあたる藤原伊周（これちか）と隆家は、恋人を取られたという思い込みから、花山院に矢を射掛け、その罪で左遷されているが、『枕草子』では彼らも風流を解する理想の貴公子としてだけ描かれている。好きだった人の悪い部分は後世に残したくない！　という清少納言の意地と涙が結晶したものが『枕草子』なのだ。

文豪こぼれ話

殺されかけて、女性器を見せつけた!?

『紫式部日記』では清少納言をこき下ろしたあと、「こんな浮ついた人の行く末によいことがあるわけない〈＝そのあだになりぬる人の果て、いかでかはよく侍らむ〉」とも記されているが、中宮定子の急死後に宮中を去って以降、後半生に関する信頼できる資料は少ない。

鎌倉時代の説話集『古事談』などによると、晩年は零落し、兄・清原致信（はらのむねのぶ）の屋敷で世話になる生活だったという。寛仁元年（1017）、致信の屋敷が政敵から襲撃され、男は皆殺しにされるという事件に巻き込まれたが、尼になって髪を短くした老齢の清少納言は性別不明の外見になっており、賊から老爺だと間違えられ、殺されそうになった。清少納言はとっさの判断で装束の裾をまくって女性器を見せつけ、女だと主張して難を逃れた……らしい。

こういう老残系の説話は、清少納言だけでなく、紫式部、和泉式部、小野小町など、一世を風靡（ふうび）した女性有名人にはつきものだった。元来、「説話」とは「ほんとうにあった話」という意味なのだが、どの程度、史実性があるかはわからない。しかし清少納言のエピソードは鮮烈で、彼女の頭の回転の速さを象徴するようで興味深い。

973頃 - 1014頃

紫式部（むらさきしきぶ）

職場でいじめられて引きこもる

平安中期の物語作者、歌人。本名は不明。生没年は諸説あり。帝の皇子として生まれ、光り輝くように美しい光の君（光源氏）を主人公とした長編小説『源氏物語』は、ほかに類を見ない緻密な心理描写において日本文学史上最高の作品のひとつ。中古三十六歌仙のひとり。日記文学『紫式部日記』、歌集『紫式部集』など。

『源氏物語』の人気が嫉妬を呼び…

寛弘2年（1005）12月末、紫式部は一条天皇の中宮・藤原彰子（しょうし）のもとに初出仕した。藤原道長の愛娘である彰子はすでに天皇との間に皇子を授かり、後宮第一の地位である中宮の座まで得ていた。対する紫式部は30代にさしかかっていたが、ほぼ職歴がなく、年上の夫に先立たれたシングルマザーという状態だった。

華やかな同僚の女房たちもいて、まともな応答さえできないほどに紫式部は固まってしまっていたのだが、それを同僚たちからは「他人を見下している態度」だと受け取られてしまい、いじめられたようだ。この頃、紫式部はのちに『源氏物語』として完成する小説の一部を書き始めており、宮中でもその面白さが話題になっていた。同僚たちのいじめは、嫉妬の裏返しだったかもしれない。

初出仕から数日程度で自邸に逃げ帰った紫式部は、なんと勝手にリモートワークを始めている。彰子や同僚の女房たちからの手紙が届いても、ほぼ無視して引きこもり、次に出仕したのは秋になってからだった。紫式部にもっとも期待される仕事は彰子の傍にいることではなく、物語を完成させることだったから、自邸で執筆しているかぎり、なんとかクビを切られずに済んだのだろう。

バカのふりで乗り切る

秋以降の再出仕では同僚との関係も改善し、「実際に付き合ってみると（第一印象とは異なり）おっとりとしたいい人だった」と褒められている。しかし、これは完全な演技だった。「一という漢字さえ知らないフリ」をして、華やかなグループに馴染もうとしたのだ。

紫式部は、娘（のちの大弐三位）にも口を酸っぱくして「人前では絶対にインテリぶるな」と教えていた。現代のママ友間などによくある「学歴、職歴を自慢してはならない」といった暗黙のルールを思い出させるものがある。

ただし、もちろん「おっとりとしたいい人」というのは演技なので、紙と筆を与えると、大嫌いな清少納言についてこき下ろしたり（→P15）、同僚の女性たちを褒めていく文章にするつもりで書いていたのに、ついつい「五節（ごせち）の弁という女房はおでこの形がひどくて、八の字眉で、髪の毛もどんどん薄くなって、戯画に描いたような顔」などと悪口が飛び出した。

なお、紫式部はブラコンで弟・惟規（のぶのり）を溺愛していたのだが、弟の恋人（斎院の中将という女房）について「自分だけが思慮深く、世間の人を見下しているように思えるところが、無性にむかついて憎らしい」と酷評し、交際にも反対していた。これは紫式部自身が彰子のもとに初出仕したとき、同僚女性から嫌われた理由と同じで興味深い。

「推し」を見出してモチベ復活

紫式部は、女性同士でイチャつくことが多かった。若き日には、早逝した姉を慕うがあまり、妹を亡くした境遇の年上女性を見つけ、「お姉さま」「妹」と疑似姉妹的な交流をしていた逸話もある。『小倉百人一首』に収められた〈巡りあひて 見しやそれとも わかぬ間に 雲がくれにし 夜半の月かな〉（意訳：やっと巡り逢えたのに、あっという間に雲の中へ消えてしまう月のように別れなければならなくて残念）という歌も、実は女友達との再会時に詠まれ、男性に向けた恋歌ではない。

当初、彰子の女房の仕事をあれほど嫌っていた紫式部だが、やがて自邸に一時帰宅してもすぐに職場に舞い戻ってしまうほどの没入を見せるようになる。同僚に好みの女性が多いからだ。お気に入りのひとりが、宰相の君というぽっちゃり美少女で、顔を隠して寝ていた彼女の夜着を引きはがし、「彼女の照れた赤い顔がとても可愛い」という感想を『紫式部日記』に記した。

小少将の君という女房も紫式部のお気に入りで、彼女とはよく同室に寝泊まりし、他人を寄せつけないほどの仲のよさを見せつけていた。二人の部屋を訪れた道長から「どちらかが知らない男を連れ込むようなことがあっても、驚かないようにね」と、からかわれてしまったこともある。しかし、紫式部は「私たちの間に秘密はありません！」と答えた。

鎌倉時代の系図集『尊卑分脈』において紫式部は「藤原道長妾」だとされているが、このときの対応を見ていると、史実の二人は男女の仲ではなかっただろうと思える。

文豪こぼれ話

人が死にまくっていた『源氏物語』

『源氏物語』は、同時代の物語にはありえないほど主要登場人物が死ぬのだが、死が「ケガレ」だった当時としてはかなりの冒険であると言えよう。不仲説もあるが、なんだかんだいって愛していたと思われる夫・藤原宣孝の死から4年ほどの間に、鎮魂の思いを込めて物語を書き始めたことが影響しているのではという説もある（※角田文衛説）。

和泉式部

976頃 - 1036頃

本能に忠実すぎてスキャンダル連発

平安時代中期の歌人。生没年は諸説あり。大江雅致（おおえのまさむね）の娘として、学問の家に生まれた。少女時代から宮廷に出仕し、その美貌と才知、そして歌の才能、華麗な恋愛遍歴でずば抜けた存在感を示した。中古三十六歌仙のひとり。『後拾遺和歌集』など勅撰集にも歌が多数収録。日記文学『和泉式部日記』など。

美貌の天才女流歌人・和泉式部の前半生を語るのに、激しい恋の話は必須である。別居中の夫がいる身でありながら、和泉式部は数々の恋愛を重ねていた。

とくに冷泉天皇の第3皇子・為尊親王との情事は身分違いの恋として世間に知れ渡ったが、親王が流行り病で早逝すると、その同母弟で、第4皇子・敦道親王（帥宮）からも熱烈に求愛されてしまう。和泉式部は悩むが、「為尊さまとあなたはお声が似ているかしら」と言って、敦道親王とも関係を持った。

どこの馬の骨ともしれぬ女に敦道親王を盗られた宮妃（氏名不詳・藤原済時の娘）は怒りのあまり屋敷から出ていき、のちに二人は離婚している。敦道親王も早逝するが、和泉式部はまた違う貴人との恋に溺れることを繰り返した。

紫式部を刺激した〝けしからぬ〟文才

このように、本能にきわめて忠実な彼女の生き方は多くのスキャンダルに直結していたが、呼吸するかのように紡ぎ出される数多くの和歌の「養分」にもなった。

〈物思へば 沢の蛍も 我が身より あくがれ出づる 魂かとぞ見る〉（意約：あなたに会いたくて思い悩んでいると、乱れ飛ぶ沢の蛍が、まるで自分の身体から抜け出て、あなたのもとに向かおうとしている私の魂のように思える）などは、感覚派・本能派の歌詠みだった和泉式部の作風の最たるものではないか。

また、この歌には興味深い事実が隠されている。当時の常識からすれば、魂は、人が死ぬときしか身体から抜け出ないとされていたので、和泉式部がこの歌で言おうとしていることは斬新であった。

紫式部が『源氏物語』の中で、愛に悩むがゆえに我が身から魂が抜け出してしまって、生霊になった六条御息所などの姿を描けたのも、和泉式部と交流し、彼女の感性に刺激された部分が大きいのではないか。和泉式部と紫式部は藤原道長の求めに応じ、彼の愛娘である彰子の女房として宮中で勤めていたし、紫式部自身も、彼女のことを「けしからぬ女だが文才はある〈＝けしからぬかたこそあれ（※中略）その方の才ある人〉」と表現している。

文豪こぼれ話

夫の愛情を復活させるべく、まんこを叩いた？

和泉式部は36歳くらいのとき、道長からの紹介で、優秀な武官・藤原保昌（やすまさ）と正式に再婚することになった。「恋多き女」も年貢の納め時だったが、さすがの彼女も寄る年波には勝てず（当時の30代後半といえば、現代の40代後半〜50代前半に相当する年齢感覚）、夫の愛の衰えに悩む日々が始まる。今、離婚されたら出家するしかなく、追い詰められた和泉式部は、貴船（きふね）神社に百日連続で参詣を続けて夫との復縁に成功したという。

鎌倉時代初期成立の物語評論集『無名草子』によると、貴船神社は性的な「愛法（あいほう）」の儀式が行われた場所として有名らしい。鎌倉時代中期の説話集『沙石集』には、夫の愛を失った和泉式部が、貴船神社の老巫女から「鼓を打ちながら、衣服をめくりあげ、あらわになった自分のまんこをポンポン叩き、3度回転しろ〈＝鼓を打ち、前を掻き上げ、（※女性器を）叩きて三度巡り〉」と言われ、それに従ってしまった……という驚愕の記述が出てくる。

1008頃 - 没年不詳

菅原孝標女（すがわらのたかすえのむすめ）

『源氏物語』の限界オタク

平安中期の文筆家で『更級日記』の作者。本名は不明。父・孝標は菅原道真から数えて5代目の子孫にあたるが、学問、政治の世界の両方で出世できず、中級役人・受領として生涯を終えた。母・藤原倫寧女は、『蜻蛉日記』作者・藤原道綱母の異母妹。『夜の寝覚（ねざめ）』『浜松中納言物語』なども彼女の作品と言われる。

菅原孝標女は、国司（地方役人）だった父親の仕事の関係で、上総国（現在の千葉県中央部）で生まれ育った。噂に聞く『源氏物語』を読みたくてたまらなかった彼女は、「京の都に一日でも早く戻って『源氏』やほかの物語を読みたい！」という悲願を叶えたいがあまり、等身大の薬師如来の仏像を自力で彫りあげ、願掛けを繰り返すほどの執念を見せた。京都では伯母から『源氏物語』をプレゼントされ、〈昼は日ぐらし、夜は目のさめたるかぎり〉――寝落ちしている時間以外は、物語の世界に没入していた。

理想と現実のギャップ

14歳くらいのときは、「私、今はパッとしない不美人だけれど、大人になれば髪も伸びてすごい美女になるの」と希望を持っていた。しかし、のちには「光源氏が愛した夕顔の君、（光源氏の息子の）薫が愛した浮舟みたいな女性になれると思っていたけれど、そんな考えを持っていたのは儚く、残念なことだった」と嘆いている。「最上流の貴人と結ばれる薄幸の美女」という設定を自分に当てはめ、萌えていた孝標女だが、現実では貴人どころか誰からも深くは求められず、『源氏物語』の限界オタクと化して33歳まで独身を貫くことになる。

それでも縁あって、6歳年上で当時39歳の橘俊通と結婚できた。当時の年齢感覚でいえば、新婚当初から熟年夫婦である。なんとなく始まった関係ゆえに終わらせる理由もなかったのか、それから約20年、二人の結婚生活は低空飛行のまま継続した。

康平2年（1059）、孝標女が51歳のときに夫が急死。孝標女にとって夫といえば、イマジナリーハズバンドの光源氏で、最後まで橘俊通のことはあくまで「ウチのお父さん〈＝児（ちご）どもの親なる人〉」でしかなかったようだが、さすがに亡くなられると、彼こそが自分の「頼む人」だった――つまり頼りになる夫がいてくれたからこそ、オタ活ができたのだという現実を思い知ることになった。彼の赴任地は信濃国だったが、先立たれた孤独を詠んだ〈月も出でて　闇にくれたる　姨捨（おばすて）に　なにとて今宵　たづね来つらむ〉（※80段）の、姨捨山があったのが信濃国更級（さらしな）郡であり、『更級日記』という作品名の由来とされる。しかし、オタ活しかしてこなかった半生を振り返る『更級日記』には、夫の登場シーンは一度しかない。

西行法師

1118頃 - 1190

平安時代後期の歌人。本名・佐藤義清。藤原実能に仕えたあと、鳥羽上皇に取り立てられ、兵衛尉（ひょうえのじょう）の官位も授かったが、23歳で出家。のちに日本各地を放浪し、歌を詠んだ。『新古今和歌集』ではいちばん多く歌が収められている。『千載和歌集』などにも入集。家集に『山家集』。

失恋で電撃出家

西行法師、本名・佐藤義清の活躍は10代の頃から目覚ましかった。『長秋記』によると保延元年（1135）以降、歌人としてだけでなく、宮中での武官としても出世が始まり、18歳くらいで鳥羽上皇の警護を担当する「北面の武士」に取り立てられている。これはただのボディガードではなく、家柄、人柄、容姿ともに優れた者だけの名誉ある役職で、義清の人生は今後とも安泰……と誰しもが思っていたはずである。

しかし、そんな矢先の保延6年（1140）10月、義清は引き止めようとする妻子を蹴り飛ばして出家し、西行と名乗るに至った。出家は「生きながらにして死ぬ行為」だと考えられていたので、武官として、天才歌人として将来有望な佐藤義清の電撃出家に貴族社会はどよめいた。

同時代の公卿・藤原頼長によると、信仰心が高まった結果の行動だったというが（※『台記』）、義清の出家理由には同時代からさまざまな憶測が流れた。

「桜の歌人」の潔くない散り際

一説には、「身分違いの恋に失恋したのが出家の原因だった」とされる。『平家物語』の異本である『源平盛衰記』によると、義清の相手は「その名も口にするのがはばかられるほど高貴な女性〈＝申すも恐ある上臈女房〉」で、これはつまり彼を取り立ててくれた、鳥羽上皇の后・待賢門院璋子（藤原璋子）のことだろう。

二人の出会いは寺だと言われる。璋子の兄にあたる藤原実能が、京都・嵯峨に徳大寺を建立した。徳大寺を訪れた璋子と、実能に仕え、寺とも関係が深かった義清は出会い、道ならぬ恋の一夜を過ごしたようだ。

璋子は10代の頃にはすでに魔性の女として有名で、60代の白河院から寵愛を受けていた。しかし、自分がいつまでも璋子の傍にいてやれるわけでもないことを理解しつつも、生きている間は彼女を手放したくない白河院は一計を案じ、孫の鳥羽天皇に璋子を押しつけたらしい。義清も例外なく、璋子の魅力に参ってしまい、その後も執拗にアプローチを重ねた結果、璋子から「お前はしつこい〈＝阿漕の浦ぞ〉」と言われてしまい、これまでモテにモテてきた彼にとって失恋は驚天動地の衝撃で、出家につながってしまったというのだ。

〈願わくば　花のもとにて　春死なむ　その如月の　望月のころ〉（意訳：もしも願いが叶うのならば、

春3月、満月の夜に桜の下で死にたいものだ）など、桜にまつわる多くの名歌を残し、「桜の歌詠み」として知られる義清こと西行法師だが、目当ての女性相手には粘着質でストーカー気質であったようである。あるいは、そういう自分の性質を恥じて、潔く散る桜を愛するようになったのかもしれない。

1162 - 1241

藤原定家（ふじわらのていか）

貴人たちにこき使われる

鎌倉初期の公卿、歌人。正式な名前の読み方は「さだいえ」だが、歌人としては「ていか」として音読されることが多い。自作を収録した『新古今和歌集』『小倉百人一首』の選者。彼の18歳から74歳までの日記が『明月記』。『源氏物語』など古典の写本もつくった。歌論『近代秀歌』『詠歌大概』、家集『拾遺愚草』など。

愚痴と悪口まみれの日記・『明月記』

日本文学史上屈指の名歌人として知られる藤原定家。『新古今和歌集』の選者としても有名だが、その日記『明月記』には仕事の愚痴と人の悪口、そして体調不良なども赤裸々に書き連ねてある。それもそのはず、「耽美派の名歌人・定家」は彼の夜の顔にすぎず、昼間はお仕えする貴人たちのワガママに身体を張って応え続ける日々が続いていたのだ。

正治元年（1199）7月7日の定家のお仕事は、摂政や関白を歴任した藤原（九条）兼実（かねざね）の乗った牛車に徒歩で付き従い、灼熱の都大路を抜けて、白河の寺院まで向かうこと。西日は「焼けるが如し」で、定家にはとうてい耐えきれず、建物の庇（ひさし）の影に入って体力温存に努めたとも書かれている。貴族の身分ではあるが、さほどえらくもない役人にすぎない定家は、どんなことをするにもすべて主人である兼実の了解をとらねばならず、身分社会の厳しさを実感する日々を送っていたのだろう。

また、このエピソードからもわかるように、定家は決して頑健なほうではない。しかし、建仁元年（1201）10月、当時39歳の定家は、熊野詣（現在の和歌山県の熊野大社への参拝）が生きがいだった後鳥羽上皇に付き従い、23日間もの長旅の途上にあった。

険しい熊野の山中も、体力自慢の後鳥羽上皇はひょいひょいと歩いていくのに対し、定家は「咳病、殊に発し、心身無きがごとし」――つまり、息切れして、咳き込んで、意識を失いそうになっている。

〈春の夜の 夢の浮橋 とだえして 峰にわかるる 横雲の空〉（意訳：春の夜明け、はるか遠くの山の峰にかかった雲が二つに別れていくように、私たち二人の儚い愛の夢も終わるのだ）――『源氏物語』の最終巻「夢浮橋」の名前を引用しながら、春の夜明けの別れを抒情的に描写する定家の歌風が「余情の美」であふれているのは、夜明けが来ないでほしい、このまま創作活動が行える真夜中の時間が続いてほしい、という彼の心の叫びだろうか。

文豪こぼれ話

後鳥羽上皇と大喧嘩、たびたび蟄居

定家が本当にすごいのは、本音や愚痴を日記の中にだけ吐き出したわけではなく、後鳥羽上皇と何度も大喧嘩をしてしまっているところだ。そしてその都度、蟄居謹慎（ちっきょきんしん）を申しつけられてしまっている。

承久3年（1221）、北条義時がさしむけた鎌倉からの兵と、後鳥羽上皇の兵が衝突して承久の乱が勃発した際も、不幸中の幸いというべきだろうか、定家は蟄居謹慎中だった。

後鳥羽上皇は、19歳の若さで上皇になって以来、承久3年までの24年間で28回もの熊野詣を行った。つまり、熊野詣も政敵・鎌倉幕府を打ち倒したいという大願成就のための願掛けだったのだが、定家は上皇の野心に気づいていたのだろうか。

1642 - 1693

井原西鶴

やばめの性癖を力説

俳諧師、浮世草子作家。大坂の豪商の出身で、本名は一説に平山藤五（ひらやまとうご）。好色物や人情物で名高いが、最大のベストセラーは日本初の経済小説『日本永代蔵』で、死後も版を重ねた。太宰治は西鶴の大ファンで、西鶴の小説を現代風に翻案した『新釈諸国噺』の中で「西鶴は、世界で一ばん偉い作家」と断言している。

想い人のツバを飲み込む『男色大鑑』

『好色一代男』『好色五人女』など、男女の恋模様を描いた「好色物」（現代で言う恋愛小説）の大家として、今日に名を残す井原西鶴だが、西鶴は大の女好きでもありながら、「男の恋の相手は、男がベスト」という嗜好の持ち主だった。『男色大鑑』では「化粧でごまかそうとする娘より、素顔で勝負する若衆（美青年）のほうが絶対にいい！　優れている！」（要旨）と力説し、西鶴のインスピレーションを刺激した、古代から当代の男色エピソードを大量に描いた。

「巻四」の「詠めつづけし老木の花の頃」では、世を忍んで暮らす、60代の美老人カップルを登場させている。武芸の達人・豊田半右衛門は19歳だったとき、3歳年下の玉島主水という絶世の美少年をめぐって決闘し、殺人の罪を犯した。その後、二人は駆け落ちし、60歳を超えても若衆時代の髪型のまま、秘密の同棲を続けている。彼らの生計手段は、「どんな痔にも効く」と謳った薬の販売だった。

「巻二」の「夢路の月代」では、ある若衆に惚れている年長者の男が、川上にいる彼が吐き捨てたツバ（本当は痰？）が目の前に流れてくると、それをすかさず掬い、飲み込んでしまう。その光景を見せつけられた若衆も引くどころか、「僕は、彼から本当に愛されているんだ」と感動するのだが、性癖としては両者ともにだいぶやばい。

井原西鶴は21歳頃から俳諧師として活動したが、「矢数俳諧」という、制限時間内にどれくらい大量に俳句をつくれるか競う曲芸みたいなことを創始し、エンエンとやっていた（そのため小説を書いたのは40代からで、活動期間は10年くらいしかない）。ほかの者に記録が更新されると西鶴も奮起し、貞享元年（1684）には、2万3500句を達成している。こうした負けず嫌いが、性癖もエスカレートさせたのかもしれない。

1763 - 1827

小林一茶（こばやしいっさ）

財産と子づくりへの執着

江戸後期の俳人。本名は小林弥太郎。一茶のほかに圯橋、菊明、雲外などの号がある。信濃国水内郡柏原村に生まれる。本人の性格は極悪だが、何気ない日常生活を温かい眼差しで見つめる句風で有名。多作家で、現存するだけでも一茶の作品は2万句にものぼる。俳句文集『おらが春』、句日記『七番日記』など。

作風と違いすぎる実像

江戸時代後期を代表する俳人・小林一茶。〈すずめの子　そこのけそこのけ　お馬が通る〉〈やせ蛙　負けるな一茶　これにあり〉などの句があるが、その眼差しのやさしさとは裏腹なのが、すべての欲が深い一茶の裏の顔で、作者の実像と句風が離れすぎている。

信濃国（現在の長野県）の柏原（かしわばら）の村に、裕福な農民の子として生まれた一茶は、15歳のとき、江戸での丁稚奉公（でっちぼうこう）を始めた。都会ぐらしの味を知った一茶は田舎に帰りたくないがあまり、松尾芭蕉のようなカリスマ俳諧師を目指して活動開始するものの、思うようには芽が出なかった。

寛政3年（1791）、父の病気見舞いで14年ぶりに帰郷。しかし、用事を済ませるとすぐに江戸に戻ってしまった。その後もなかなか故郷に戻ることのなかった一茶だが、39歳でやっと本格的な帰郷を決意する。彼に甘かった老父が危篤状態になったとの噂を聞きつけたからだった。これは遺産相続を有利に進めるためで、村に戻った一茶は父親に取り入ることに成功する。

一茶は、老父介護の思い出を日記風の文章にまとめている（大正時代に『父の終焉日記』のタイトルで初刊行）。しかし、これも遺産獲得のためだった。長年、故郷に寄りつきもしなかった一茶が故郷の家人と対等な遺産相続を主張すれば、悶着（もんちゃく）が起きる可能性は高い。そこで、奉行所に提出するためのレポートがわりの文章を作成していたのだった。

しかも、〈（※父）いと苦しびたまふに、母は（※中略）見もし見向きもせず〉……父さんが苦しんでいるのに、母さんは（助けるどころか）姿を見ようともしない、などと悪口を書き連ねている。文才を悪用しすぎている一茶だが、〈母〉とは一茶と折り合いが悪かった継母のことである。3歳で実母を失い、内向的な性格の一茶は継母と犬猿の仲だったのだ。

最終的には、やはり一茶に甘い父親が「均等に遺産を分配せよ」と遺言してくれたことも手伝い、220坪ほどあった実家の土地を、継母と異母弟たち家族と彼の間で二分割することに成功している。これが文化10年（1813）、一茶が51歳のときの話である。

「夜の営み」で妻も本人も過労死

それまでは結婚する経済的余裕さえなかった一茶だが、遺産相続によって、当時28歳だった菊を妻に迎えることができた。母方の親類だが、24歳も年下の妻である。しかし、一茶は当時すでに病気がちで言語不明瞭、原因不明の皮膚病(一説には梅毒)を患い、歯は一本も残っていなかった。

風呂を新築して菊を歓迎した一茶だが、その後、彼がやったことといえば、俳句づくりと〈交合(こうごう)(子作り)〉だけ。畑仕事も一切手伝わず、菊に丸投げしていた。文化14年(1817)10月2日には〈夜三交〉、同5日〈(※昼間から)三交〉……と、当時では高齢者枠の50代男性とは思えないハイペースでの〈交合〉を重ねている。「黄精(おうせい)」と呼ばれる強精効果のある薬草を服用してまで跡継ぎをほしがっていたらしいが、鬼気迫るものがある。

しかし、頻繁な性生活のわりに子どもはできず、生まれても長生きせず、4度の妊娠出産を繰り返した菊が過労死まがいの亡くなり方をすると、62歳で2人目の妻・雪と再婚。しかし、武家出身の彼女とは当然のようにうまくいかず、わずか半年で破局した。

その後は村を襲った大火事のせいで自慢の家が灰になり、家屋を再建築する金がない一茶には脳梗塞の発作で半身不随と言語障害だけが残ったが、なおも子どもがほしい一心で、当時2歳の男の子連れのシングルマザーの〝やお〟という女性をあてがってもらっている。住む場所がないので、壁がくずれかけた実家の蔵の中で交合三昧の日々を過ごした一茶だが、〈交合〉の疲れからか、やがて突然死してしまう。享年65歳。その後、〝やお〟の妊娠が発覚し、元気な女の子が生まれた。

文豪こぼれ話

一茶の由来

寛政3年（1791）の帰郷については、旅の記録を『寛政三年紀行』に記しているが、その中で〈しら波のよるべをしらず、たつ泡のきえやすき物から、名を一茶房といふ〉、つまり、さすらいの身で、すぐに消える茶の泡のような存在であることから「一茶」と名乗ったと書いている。

曲亭馬琴

1767 - 1848

江戸後期の小説家。本名・滝沢興邦（おきくに）。20代前半で武士を辞め、医者を志すが断念。24歳で山東京伝に弟子入りし、戯作（小説）について学ぶ。山東京伝や十返舎一九らとともに、原稿料だけで生活することに成功した最初の日本人作家のひとりとされる。数年温めていた大長編『南総里見八犬伝』は28年かけて完成させた。

武家社会から脱落し、フェチ小説家になる

曲亭馬琴は「滝沢馬琴」の名でも知られるが、そう呼ばれると癇癪を起こした。滝沢は彼のファミリーネームで、もとは武家の出身者である。人事な家名と、雅号を混ぜて使うなという理屈らしい。

売れていなかった時期には、吉原の版元・蔦屋重三郎の世話になっていたが、実際は「食客」というようなけっこうな身分ではなく、佐助の名前で、蔦屋が経営する耕書堂という本屋の番頭をさせられていた。しかし、蔦屋重三郎から吉原の娼家への婿入りを勧められたときには、「武士である自分に何をさせるつもりか」と気分を害して逃げ出してしまった。蔦屋と馬琴の関係はこれにて終了である。

ケモノ、マッチョ女装、近親ＢＬ…

馬琴は武士社会の出世競争からドロップアウトしたアウトローだったわけだが、作風もアウトローというしかない。『南総里見八犬伝』も現代人が驚くほどに禁忌の設定だらけで、馬琴という人物がフェチの虜（とりこ）だったことがうかがえる。

主人公は8人の犬士たちだが、彼らはすべて里見家に生まれた伏姫が、神犬・八房の「気」に反応して妊娠、出産した「人とケモノの禁断のハーフ」のきょうだいなのだ。しかも8人の主人公のうち2人がなぜか女装者という設定である。

犬塚信乃は、「9歳になったときから筋骨隆々の長身」でありながら、きたる元服の日まではなぜかマッチョ女装を続けねばならない宿命の持ち主だった。もう一人の女装者、犬阪毛野は美少女芸人・旦開野（あさけの）のほかにも、物乞い、女田楽師（舞を披露する芸人）など数々の「仮の姿」を持つ変装術の使い手で、きょうだいの犬田小文吾を座敷牢から救い出そうというとき、なぜか小文吾にプロポーズする場面がある。「私と結婚してくれなければ、死んでしまうわ！」と言う旦開野に小文吾もノリノリになって「必ず嫁にする」と約束したものの、脱出に成功すると、犬阪毛野は「自分は本当は男なのだ」と突然のカミングアウトを敢行し、「お前が女に惑うかどうかをテストしたのだ」と理由づけ。

「人とケモノの禁断のハーフ」にして、「マッチョ女装」、さらに「きょうだい同士のボーイズ・ラブ」……現代なら「強火のオタク」が好む設定の連発で、馬琴本人、そして彼の作品を長年にわたって支持し続けた江戸の庶民たちが、煮えくり返った性癖の持ち主であったことを物語っている。馬琴が家名と雅号の混同を嫌がったのは、『南総里見八犬伝』が本名ではとても書けない内容だった、ということもあるかもしれない。

文豪こぼれ話

案外売れていなかった「八犬伝」

馬琴の代表作・『南総里見八犬伝』は江戸時代最大のヒット小説とされている。完結まで28年、全106巻の超大作だった。しかし、当時の年間発行部数は平均で500部ほど。読者は多かったが、多くの人が貸本屋でレンタルして読んでいるだけだった。つまり、馬琴は版元に原稿を買い取らせた収入だけで食べていたのだ。新刊を出さねば金にならないので、連載を長引かせられるだけ長引かせたのかもしれない。

中江兆民（なかえちょうみん）

1847 - 1901

思想家、評論家。本名・篤介（篤助）。日本人として初めて西洋哲学を体系的に学んだ彼は「東洋のルソー」と呼ばれる政治思想家だが、ベストセラーエッセイストでもあった。土佐藩の足軽の子として生まれたが、長崎や江戸に留学、仏文学を学び、司法省の依頼でフランスにも留学。役人生活ののち、ジャーナリストに転向した。

全力で葬式を拒絶

ある友人の葬儀に中江兆民が参列したとき、未亡人にお悔やみの言葉をかけた直後、「ちょっと2円ほど（現代の貨幣価値で数万円）貸してくれないか」と持ちかけた。未亡人は「こんなときに」とムッとしつつも金を渡してくれたが、中江は未亡人に受け取ったばかりの金をうやうやしく差し出し、香典にしたという（※森銑三『明治人物逸話辞典 下巻』）。

なんとも罰当たりだが、中江は「肉体を外にして霊魂の決してあるべきはずはなし」と公言し、完全な無宗教主義者として振る舞っていたので、葬式でも平気でこんな奇行をしでかしたのだ（無宗教主義者だが、葬式饅頭が大好きだったので知り合いの葬式には参列していた）。

ベストセラー『一年有半』を生んだ負けん気

明治34年（1901）の春には、大阪の医者から、中江の病は末期の咽頭がんで「余命は一年半」と告げられた。これをきっかけにラストメッセージの出版を思いついた中江は、重病人とは思えぬ猛スピードで執筆を続け、その年の9月には博文館という出版社からエッセイ集『一年有半』を刊行。単行本が約1年で20万部突破という、当時としては桁外れの大ヒットとなった。

東京に戻った中江は、東京帝大の医者にも診察されるが、「寿命はいくばくも残されていない」と告知される。すると中江はふたたび奮起してしまい、『続一年有半』という続編にとりかかった。今回は第一作を上回る猛スピードで書きあげ、10日あまりで完成させている。弟子の幸徳秋水によると、中江は飲み食いはおろか、寝ることすらできないほどの痛みを「麻痺剤」で散らして執筆を続けていたそうだ。そして、魂の存在や死後の世界などを否定し、葬式も必要ないと周囲に言い残し、その年の12月13日に亡くなった。

彼の遺言は実にシンプルで、〈第一　遺骸は解剖に附する事　第二　葬式は行わざる事〉（※「毎日新聞」明治34年12月15日／此経『明治人のお葬式』）の2つだけ。本気で葬式を拒絶したかったらしい。命を燃やしつくした執筆とでも言えば美しいが、負けん気が強すぎたのが災いした。本のタイトルにも採用された「一年有半」どころか、その半分にも満たない余命だった。

中江は、読経や葬列を伴わない無宗教のシンプルな式＝告別式を提唱していた。寺での葬儀は遺言どおり行われず、日本初となる告別式によって送られた。日本ではその後、告別式といえば通夜の代名詞のようになったが、中江による告別式のシステムは、無宗教を謳った中国の指導者・毛沢東の国葬にまで影響を与えている。

1862 - 1922

森鷗外

血の気が多すぎて「日本初の近代文学論争」を起こす

小説家、評論家、翻訳者。本名・森林太郎。御殿医の家柄に生まれ、幼少期からスパルタの英才教育を受けた。本業は陸軍軍医だが、和漢の古典に加え、ドイツに軍医として留学した際に得た見聞、文学の知識で活動。小説に『舞姫』『雁』、翻訳にアンデルセン『即興詩人』、ゲーテ『ファウスト』など。

論争バーサーカー

〈自分は少年の時から、余りに自分を知り抜いていたので、その悟性が情熱を萌芽のうちに枯らしてしまつた〉、〈自分は人並はずれの冷澹な男であるらしい〉（※『ヰタ・セクスアリス』）などと記述しており、後年の歴史小説『渋江抽斎』なども枯淡の境地という作風なので、鷗外は〈冷澹〉だったと思われがちだが、実際は闘犬のような性格で血の気が多く、喧嘩っ早かった。

明治18年（1885）4月、東京帝大・衛生学教室教授の緒方正規が、日本人を悩ませてきた脚気の原因菌、つまり「脚気菌」の発見を発表した。東大卒業後、ドイツで学んだ若き日の北里柴三郎が「脚気は細菌によって起きる病気ではない」と反論したところ、なぜか部外者の鷗外まで論争に参戦。北里博士に対し〈先輩たる緒方博士に対して、憚るさまもなくおのが意見を述べしを恩少なし〉（※「統計に就ての分疏」）、つまり「先輩をないがしろにする忘恩行為が許せない！」と見当外れの猛批判をした。

鷗外が陸軍軍医総監を務めていた日本陸軍では、その後も副菜の提供はほとんどないまま、白米だけが兵士たちには与えられていたため、脚気の蔓延（まんえん）を防ぐことができなかった。日露戦争当時の日本兵は脚気がひどすぎてまっすぐに歩けず、まるで酔っ払いが銃を持たされて戦争に駆り出されているかのように見えたという。

もちろん、文学に関しても鷗外は論争しまくっていた。文芸評論家・内田魯庵（うちだろあん）は「鷗外にだけは気をつけろ」と周囲に忠告していたが、鷗外は一度でも批判してきた相手のことはしっかり覚えていたという。また明治23年（1890）、文芸評論家・気取半之丞（きどりはんのじょう）（石橋忍月の筆名）が『舞姫』について、〈彼（※主人公）は小心的臆病的の人物なり〉（※石橋忍月「舞姫」）などと批判した際、鷗外は文芸雑誌「しがらみ草紙」に『舞姫に就きて気取半之丞に与ふる書』という文章を載せてエンエンと反論。その後もしつこく石橋に絡みに行った。なお、この「舞姫論争」は「日本初の本格的な近代文学論争」とされている。

坪内逍遥との没理想論争

シェイクスピアの作品を日本語に翻訳、紹介した大御所・坪内逍遥（つぼうちしょうよう）が、明治24年（1891）、

「シェイクスピアは、劇の内容や登場人物におのれの過度な理想を反映させておらず、客観的に描こうとしている点が偉大だ」（要約）といった文章を発表した。鷗外はそれを読んで猛然と噛みつき、〈シエクスピイヤがバイロン、スヰフトより大なるは（※中略）おのが理想をあらはせばなり〉（※「柵草紙の山房論文」）――いやいや、シェイクスピアが19世紀のイギリスの詩人のバイロンや、18世紀の作家のスウィフトなどより偉大なのは、作品の中で理想を語っているからだ！　と反論した。

この当時、鷗外は文学者としては駆け出しだった。逍遥のような大御所に議論を吹っ掛け、自分の知名度を上げようとしていたのかもしれない。

しかし、それだけではないだろう。鷗外の言う「文学とは書き手の理想を反映すべきもの」というロマン派的文学観は、19世紀前半に隆盛したが、19世紀後半にさしかかった当時、いくぶん古臭くはなっていた。それでも鷗外が本気のロマン派びいきだったのは、彼が日本語に翻訳したヨーロッパの文学――たとえばゲーテの『ファウスト』や、アンデルセンの『即興詩人』など、その多くがロマン派の王道を行く作品だったことからも、まったくのウソではないと感じる。鷗外は、やはり〈冷澹〉などではなく、アツい男だったようである。

文豪こぼれ話

細菌研究によって潔癖症になった

若い頃、細菌について研究した鷗外は、風呂水に細菌が多く含まれている事実を知って風呂嫌いになり、たらいを使った行水で一日に2度、身を清めるのを日課とした。ただし、顔も股も同じ手拭いで拭いた。いわく、〈人が汚いというがおれのからだに汚い所はない〉（※森於菟『解剖台に凭りて』）。細菌を恐れすぎて、食物は果物も含めて、すべて加熱しないと食べられなくなってしまったという。

なお、「性欲の虎を放し飼いにしたら谷に落ちる」（※『ヰタ・セクスアリス』）などとも書いているため、女性関係にも潔癖症を発揮したのかと思いきや、晩年にはちゃっかり愛人をつくって別宅に囲い、モデル小説（『雁』）まで書いている。

COLUMN

鷗外にしては読みやすい史伝小説『魚玄機』

森鷗外は『渋江抽斎』以降、さまざまな史伝小説を残したが、主人公がマイナーで、内容も地味で、つまらないのに長いというのが当時からの定評だった。大正5年（1916）から「東京日日新聞」「大阪毎日新聞」の新聞小説として連載した『伊沢蘭軒』はすさまじく不評で、こんな面白くない文章を新聞小説にするのは常識がないという批判や、不満の手紙がどっさり来たおかげで、〈わたくしは学殖なきを憂ふる。常識なきを憂へない。天下は常識に富める人の多きに堪へない〉――つまり「バカは黙ってろ」と遠吠えする散々な最終回になってしまった。

そんな鷗外の史伝小説としては短く、しかも起承転結がはっきりしているのが『魚玄機』で、これはタイトルどおり、唐代末の女流詩人・魚玄機を描いた作品だ。彼女は10代後半の頃から、30歳ほど年上の李億（子安）という高級官吏の愛人をしていた。魚玄機は本気で彼に恋していたが、旅先で捨てられてしまう。20歳くらいで、人生を立て直す必要を感じた彼女は、道教の寺院で女仙人を目指すべく修行を始めた。しかし、男が忘れられず、あえなく還俗する。

その後、李近臣（りきんじん）という久しぶりの恋人ができたが、自分の侍女が彼を奪おうとしていると思いこみ、彼女を何百回も鞭打ち、殺害してしまった。侍女は最後まで否定していたが、最後の最後に「お前の淫乱を許さない！」と魚玄機を罵って死んだ。魚玄機は死体を埋めてみたが、隠匿できず、彼女の才能を惜しんだ男性有力者の助けも届かず、26歳で刑死している。

ただし、渋好みの鷗外が書いているだけあって、小説『魚玄機』にリンチシーンは登場しない。魚玄機が侍女の首に手を伸ばした瞬間、絞殺が完了したという描かれ方になっている。なぜ鷗外が魚玄機という存在を取り上げようとしたのかはよくわからないが、実は毒々しい女に惹かれる気持ちがあったのかもしれない。

二葉亭四迷(ふたばていしめい)

1864 - 1909

エリートの挫折

明治期の小説家、翻訳家。本名・長谷川辰之助。1887年の『浮雲』発表後は、内閣官報局の役人に、ついで陸軍大学校でロシア語の教師になっている。日露問題に関心が深く、両国の関係が緊迫化した1902年以降、ロシアに渡った。日本とロシアを行き来する日々が始まるが、肺炎と結核を併発、帰国途中の船上で亡くなった。

「くたばってしまえ」の本当の由来

二葉亭四迷こと長谷川辰之助(たつのすけ)は、元・尾張藩士の父を持つ士族の出身で、江戸・市ヶ谷に生まれた。本来なら恵まれたバックグラウンドを活かし、出世栄達の道も歩めたはずだが、不器用すぎるのか、若い頃から挫折だらけの人生を過ごした。

軍人を志したが、陸軍士官学校は不合格。次に外交官を志望して東京外国語学校(現・東京外国語大学)露語科に進学するが、教授陣とケンカして退学する。その後に目指したのが文士の道で、ロシア文学に造詣が深かった辰之助は「言文一致」——伝統的な書き言葉ではなく、あくまで話し言葉を使った文学を標榜した坪内逍遥の門を叩き、2年かけて『浮雲』を完成させることができた。日本各地の大学を卒業したエリートたちが期待していたようなロクな就職先も見つからず、こんな仕事をするために苦労して勉学してきたわけではない……と嘆く内容で、四迷自身の生きづらさが反映されていた。

彼が「くたばってしまえ」という捨て台詞を適当な漢字に置き換えた「二葉亭四迷」というペンネームを使うようになったきっかけも、かなりこじらせている。四迷本人の『予(よ)が半生の懺悔(ざんげ)』というエッセイには、失敗と挫折だらけの人生を過ごしてきたがゆえ、自作のクオリティに自信が持てず、また、自分の名前では〈本屋を納得〉させられなかったので、師匠・坪内逍遥の名前(正確には本名の坪内雄藏)を借りる見返りに、坪内に印税の半分という莫大なマージンを支払う契約で出版した。すると、『浮雲』がまさかの大ヒット。本人の説明によると「金ほしさ」に負けた自分に〈くたばって仕舞(しめ)え〉とのことだが、収入の半分を儲け損なってしまった自分の意気地なさを罵倒する言葉でもあろう。その後、およそ20年間、小説執筆からは遠ざかっていた。

1867 - 1916

夏目漱石

小説家、英文学者。本名・夏目金之助。高齢夫妻の間に生まれたが、当時としては高齢で子づくりしたことを恥じた両親の方針で、生後まもなく里子にされた。帝国大学(現・東京大学)卒業後、松山・熊本で教師生活を送る。小説『吾輩は猫である』のヒットで朝日新聞の専属作家となった。『虞美人草』『三四郎』『こゝろ』など。

身長コンプレックス

国費留学中に病んで引きこもる

夏目漱石は、文部省命令によって明治33年(1900)から英語研究のためイギリスへ国費留学している。しかし留学中、日本時代からこじらせていた身長コンプレックスが強めに刺激されてしまう。

イギリスでの生活を記した『倫敦消息』には、〈皆んな厭に背いが高い(※中略)ちっと人間の背いに税をかけたら少しは倹約した小さな動物が出来るだろう〉、〈向うから人間並外れた低い奴が来た。占たと思ってすれ違って見ると自分より二寸ばかり高い。こんどは向うから妙な顔色をした一寸法師が来たなと思うと、これすなわち乃公(※自分自身をへりくだって言う言葉)自身の影が姿見に写った〉などと記されている。

23歳のときの漱石の身長は159センチ、1880年頃の調査での日本人男子平均身長は

158センチなので当時の日本人としては中肉中背と言えるが、背の高いイギリス人に囲まれ、劣等感を抱えつつ慣れない環境で過ごした結果、漱石は重度の神経衰弱に陥っている。のちには大学の授業に出ることさえできなくなり、下宿で英語の本ばかり読む日々を過ごした。悲惨な留学生活を送っている漱石の身の上を案じた妻の鏡子は、自分と娘・筆子の写真を送るが、漱石は「御両人とも滑稽な顔」というひねくれた返信をしてきた（が、写真はストーブの上に大切に飾っていたらしい）。

つまり、イギリスではほとんどの時間を引きこもって過ごしたので、日本の自室で洋書を読んでいたのとあまり変わらない生活をしたことになる。ゆえにイギリスの印象を美文調で書きとめた『倫敦塔』などの名作はあるものの、森鷗外のように海外生活の経験をその後の創作活動に長く活かすことはできなかった。

伊豆で幽体離脱

明治43年（1910）8月、胃潰瘍に悩まされていた漱石は、医師に転地療養を勧められ、伊豆の修善寺温泉に滞在中だったが、慣れない土地での生活が逆にストレスとなる。24日の夜には大量吐血をして、昏睡状態に陥った。イギリス留学にしても、つくづく慣れない土地での暮らしが負担になるタイプらしい。

かろうじて一命はとりとめたが、このとき、漱石は幽体離脱を経験する。留学中も下宿で、当時のヨーロッパで大流行していたオカルト趣味の本を読みふけっていたという話があるが、幽体離脱経験の一年ほど前にも〈「霊妙なる心力」と云う標題に引かされてフランマリオンという人の書籍を、わざわざ外国から取り寄せた事があった〉というほど、この手の本の熱心な読者だった。

幽霊が実在するのかにも昔から関心があったが、修善寺で幽体離脱した際、〈余は一度死んだ（※中略）余は余の個性を失った。余の意識を失った〉――つまり、自分が誰であるかもわからなくなったので、人は死後も恨みを抱いているような幽霊などにはなれない、つまり幽霊などいないという結論に達している（※『思い出す事など』）。

文豪こぼれ話

甘いものが好きすぎる

漱石は『吾輩は猫である』に自分自身を〈苦沙弥（くしゃみ）先生〉として登場させ、1ケ月に8瓶ものいちごジャムを空にしたと告白している。ドクターストップがかかっていたが、隠れてジャムの瓶からスプーンで掬って食らい続けた。ほかにもケーキ、羊羹、アイスクリームなどが大好物で、ついには糖尿病になってしまう。漱石には胃潰瘍をこじらせ、吐血しているイメージがあるが、それも糖尿病が原因だとする説もある。あるときには餅菓子を食べすぎて、〈草餅みたいな色〉の青いウンコをしたことさえ弟子に告白している（※江口渙『わが文学半生記』）。

1868 - 1903

尾崎紅葉（おざきこうよう）

文豪・泉鏡花を誕生させたパワハラ

小説家、俳人。本名・尾崎徳太郎。江戸の芝中門前町に生まれる。帝国大学を中退し、山田美妙らと硯友社を結成。江戸風の戯作調から、西洋文学の写実主義にも影響を受けつつ、近代小説にふさわしい文体を模索した。読売新聞社で『多情多恨』などを発表、『金色夜叉』の連載も好評を得るが未完のまま亡くなった。

「縄と鞭」で弟子を育成

泉鏡花、田山花袋、徳田秋声（とくだしゅうせい）などを弟子に持つ紅葉だが、「飴と鞭」どころか「縄と鞭」で弟子を育てる厳しい教育方針がモットーだった（※内田魯庵「硯友社の勃興と道程」）。師匠として弟子の恋愛関係に口を出すのはいつものことで、愛弟子・泉鏡花が、桃太郎という神楽坂の芸者と同棲していることを知るや、激怒した尾崎は鏡花に向かって〈俺を棄（す）てるか、婦（おんな）を棄てるか〉と、芝居じみたセリフを吐いた。尾崎が鏡花の恋愛を知ったのは、彼の愛人の神楽坂の芸者からの告げ口だったのだが、売れかけ文士の鏡花風情（ふぜい）が大先生よろしく、芸者と同棲して散財するなど、尾崎には許せないことだった。

激怒する師匠の手前、桃太郎との離別に同意した鏡花だが、本当に別れる気配が見えず、イライラした尾崎は桃太郎を呼びつけ、手切れ金10円を無理やり握らせた。現代の日本円に換算すると10万円ほどなので、師匠ヅラをするには微妙な額だとは言える。小馬鹿にされたように感じたのだろうか、鏡花と桃太郎は同棲を解消しただけで、密会は止めなかった。

愛しあう二人にとって、尾崎は自分たちの前に立ちはだかる強敵として見えていただろう。しかし半年後、尾崎はあっけなく病没し、二人は晴れて結婚することができた。鏡花は尾崎を崇拝し続けたが、師匠に無理やり別れさせられそうになった悔しさは忘れられず、それをテーマに出世作『婦系図（おんなけいず）』を書いた。つまり、尾崎はパワハラを通じ、はからずも愛弟子・泉鏡花を文豪として生まれ変わらせてしまったのだ。

推敲しすぎてアートになる

言動があまりにおっさんくさい尾崎だが、亡くなったときはまだ35歳という若さだった。弟子たちへの最後の言葉は〈是（これ）から力を合（あわ）せて勉強して、まずいものを食っても長命して、唯だの一冊一編でも良いものを書け……おれも七度生れ変って文章の為に尽す積りだから〉である（※巌谷大四『尾崎紅葉』）。

たしかに尾崎の文章へのこだわりはすさまじく、原稿、俳句、手紙、ありとあらゆる文章を直しまくる癖があった。原稿用紙の余白だけでは足りなくなり、訂正箇所に紙を貼って推敲を行うのだが、何回もそれを繰り返すので、厚紙を貼り付けたようになっているケースもあった。あまりに独特の直し方をするため、尾崎による修正入りの原稿用紙、手紙などは書画骨董品、つまりアートの一種として取り扱われ、掛け軸にされたりもしている。

ただし、尾崎は文章にはこだわっても、内容のオリジナリティに対する意識は低めだったかもしれない。彼の代表作『金色夜叉』は、ヴィクトリア時代のイギリスのバーサ・M・クレイという作家の『女より弱きもの』を無断翻案した作品ではないか、という研究が北里大学講師（※当時）の堀啓子によってなされ、話題にもなった。

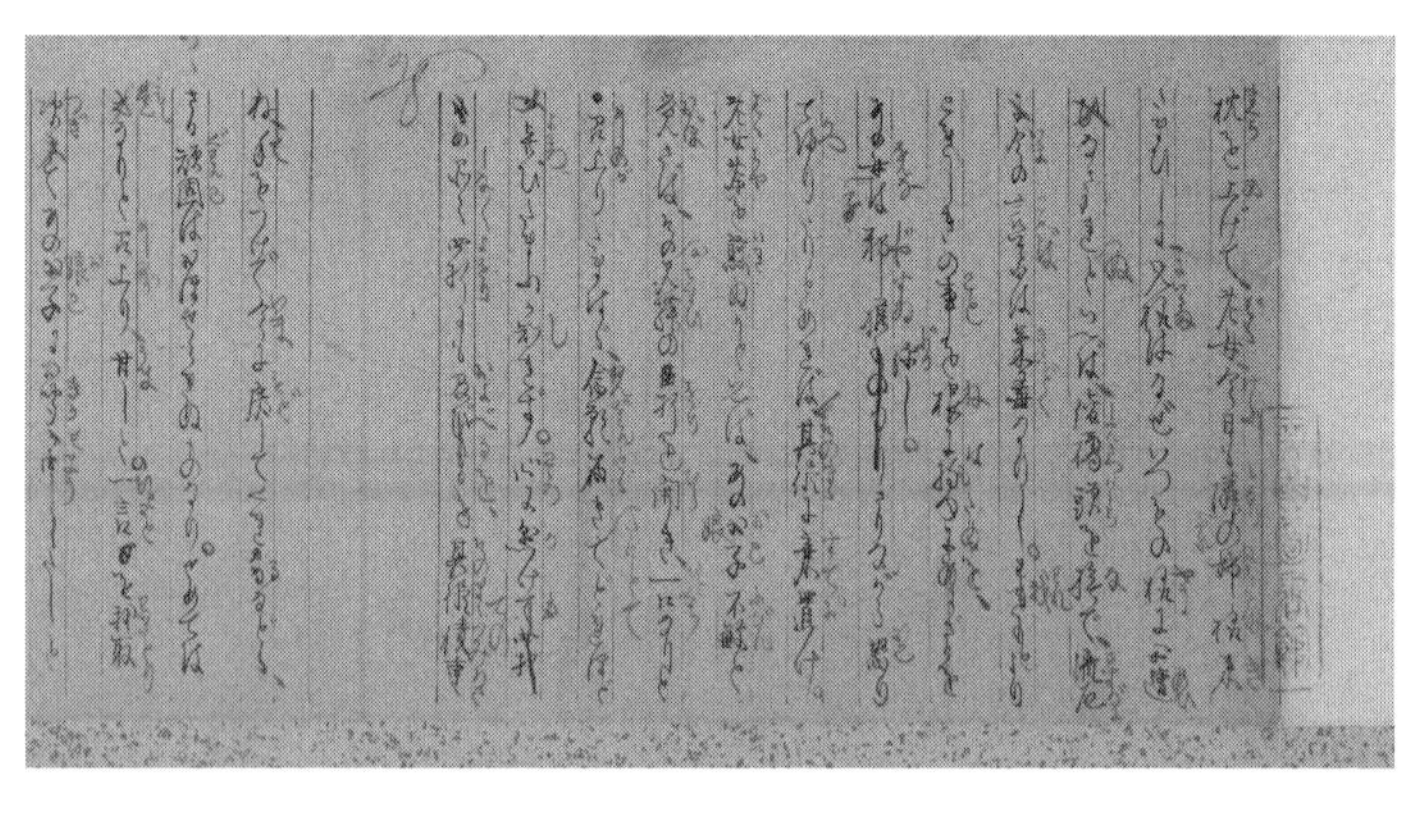

尾崎紅葉の自筆原稿（国立国会図書館デジタルコレクション）

1871 - 1908

国木田独歩（くにきだどっぽ）

刃物を突きつけて求婚

小説家、詩人。本名・国木田哲夫。千葉県銚子に生まれる。小説『武蔵野』『牛肉と馬鈴薯』など。晩年に評価向上の兆しはあったが、作風が先端的すぎて小説家としては成功できなかった。一方、編集者としては大成し、『婦人画報』などを創刊している。日清戦争では従軍記者として「愛弟通信」を国民新聞に連載し、人気を得た。

名前どおりに独り歩きした恋愛

明治28年（1895）6月、従軍記者が集う宴に招待された国木田独歩は、新聞記者志望の佐々城信子（ささきのぶこ）と出会って激しい恋に落ちた。このとき、独歩は24歳で、信子はまだ17歳。

「独歩」という彼のペンネームに象徴されるように、彼の恋心は信子の気持ちを無視して、独り歩きするばかりだった。アメリカでジャーナリズムを学びたいという信子の夢を諦めさせ、キリスト教の求道者として北海道に渡るという自分の夢に彼女を付き合わせようとする。

信子の両親は、二人の関係を認めようとしなかった。とくにお嬢さま育ちの信子の母親は、どこの馬の骨ともしれぬ独歩との結婚に猛反対で、独歩から遠ざけるため信子を監禁した。すると、独歩は〈信子よ。起（た）てよ。奮えよ。決死せよ。〉（※「独歩書簡」）と檄文のような恋文を送りつけて激励。

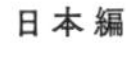

すっかり独歩に洗脳されてしまっていた信子は、勘当と引き換えに自由を手に入れ、同年11月、伊豆で独歩との新婚生活を始める。しかし、翌年4月、あまりの窮乏生活ゆえに洗脳が解けた信子は失踪し、二人の結婚生活はあっけなく終わってしまった。独歩はそれから1年以上も日記に未練をタラタラこぼし、キリスト教徒にもかかわらず自殺を考えている。

その後、信子は回想録を書いた。〈女をわが物顔したり女房扱ひ〉する独歩に〈侮辱を感〉じ、結婚する意志もなくなったが、彼が〈刃物を私につきつけて結婚を強ひるので、私は怖くて怖くてそこで否応なし〉に結婚させられたのだという（※相馬黒光「信子その当時の心境」）。しかも結婚してみると彼は〈とても嫉妬やき〉で、もう付き合いきれないと思ったので逃げ出すしかなかったともいう。信憑性を疑う研究者もいるが、独歩の恋文や日記を見るにウソではない気もする。

明治末、東京の郊外・渋谷村（現・東京都渋谷区）に転居した独歩は、下宿先の大家の娘だった榎本治（治子）と再婚する。治は極貧生活にも耐え、文豪として大成するという独歩の夢を支えた。しかし、独歩の小説がようやく評価されはじめた頃、長年の持病である肺結核が悪化した独歩は愛人・奥井君子を「付添い看護婦」として家庭内に引き込み、妻に同居を強いた。妻と夫とその愛人による奇妙な同居生活は、明治37年（１９０４）から4年間にも及んだ。

女性の気持ちをとことん無視してきた独歩だが、１９０５年に雑誌『婦人画報』を創刊。『婦人画報』は２０２４年現在、現存する日本最古の女性誌となっている。

田山花袋（たやまかたい）

1871 - 1930

モデルの人生を狂わせた『蒲団』

小説家。本名・録弥。群馬県生まれ。父は館林藩士。はじめ尾崎紅葉に入門し、その指示で江見水蔭に師事していた。フランスのエミール・ゾラの作品に触発され、理想を排した赤裸々な人間描写を主張した「自然主義」を標榜し、代表作『蒲団』を発表。ほかに小説『田舎教師』『少女病』、回想集に『東京の三十年』など。

文学的ストーカー

『蒲団（ふとん）』は、田山花袋を文豪たらしめた一作だが、ストーカー気質だった花袋の実体験を色濃く反映した問題作でもある。その内容は、妻も子もいる30代半ばを過ぎた中年作家の竹中時雄が、文学者志望の女学生・横山芳子（19歳）にガチ恋するが、芳子には遠距離の恋人で、同志社大学の学生・田中秀夫（21歳）という男性がいると知ると、世間体もかえりみず、嫉妬に悶絶するというものだ。

芳子に去られた部屋で、時雄が咽（むせ）び泣くラストシーンは有名である。時雄は彼女の髪のニオイが染み付いたリボンを嗅（か）ぎ、次に芳子が使っていた布団の上に、彼女の〈夜着〉（パジャマ）を敷いて、その〈冷めたい汚れた天鵞絨（びろうど）の襟に顔を埋め〉、「こんなことになるならいっそ手出ししていればよかった」などと布団相手に号泣するのである。

花袋は『蒲団』の登場人物と内容は〈作者の主観にそう写った〉と公言し（※永代美知代「『蒲団』、『縁』及び私」／山口『ドロドロ文豪史』）、つまり「これは実話です」と認めてしまったので、勝手に問題の小説のヒロインにされてしまった岡田美知代（横山芳了のモデル）と、彼女の恋人・永代静雄（田中秀夫のモデル）は理不尽な苦労を強いられた。とくに永代は田山花袋の『蒲団』のモデルであるという理由で、読売新聞社の就職試験に落とされたことまであったという。

岡田と永代は何度も離婚、復縁を繰り返すが、それには花袋による文学的ストーキングが続いていたことが影響している。『蒲団』のあとも、花袋は岡田と永代のことを取材して勝手に小説にしていったのだ。

花袋はつくづく若い女の子のことが好きで、その名も『少女病』という小説まで書いている。これも、花袋が美少女をストーキングして、将来の夫を想像して嫉妬する……という独り相撲的内容であった。

文豪こぼれ話

だめんず仲間

　ある日、田山花袋は東京郊外・渋谷村の国木田独歩（→P59）の下宿を訪ねた。夜になったが、ある夜、寂しがり屋の独歩は〈今、ライスカレーをつくるから、一緒に食って行き給へ〉と花袋を引きとめた。カレーと言っても〈大きな皿に焚いた飯を明けて、その中に無造作にカレー粉を混ぜた奴〉にすぎなかったが、〈匙で皆なして片端からすくって食ったさまは、今でも私は忘るることが出来ない〉。案外、美味かったようだし、同じ釜の飯を食うという心温まる経験となったらしい（※田山花袋『東京の三十年』）。女性に愛を押しつける恋愛ばかりしている点が共通しているためか、花袋は独歩と大の仲良しだった。

1872 - 1943

島崎藤村（しまざきとうそん）

姪を孕ませて海外逃亡

詩人、作家。本名・島崎春樹。長野県の旧中山道沿い、馬籠宿の庄屋の家に生まれる。明治学院第1期卒業生で、校歌の作詞をしている。在学中にキリスト教に入信、ヨーロッパ文学の影響を受けたロマン派的詩歌を創作した。詩集に『若菜集』など。小説に『春』『新生』『夜明け前』など。『東方の門』の執筆中に急逝した。

藤村の禁断の恋

藤村は創作活動のかたわら、東京の明治女学校の英文学教師として生計を立てていた。しかし、のちに新宿中村屋を創設する相馬黒光（そうまこっこう）によると、〈残念ながらその講義（※藤村の授業）はちっとも面白くありませんでした〉。これは彼女の意見というより、生徒たちの総意だったようで、藤村が大失恋したから授業に身が入っていないのだろうと女生徒たちは噂し、〈ああもう先生は燃え殻なのだもの〉と失望したという（※相馬黒光『黙移』）。

藤村は、明治女学校で許婚ある教え子との恋愛に苦しみ、関西放浪の旅へ出たこともある。不都合なことがあると逃げ出す行動パターンは、この頃から見られていたのである。

明治38年（1905）、文学を志した藤村は女房子ども連れで仙台から上京し、部落差別を扱った大作『破戒（はかい）』の執筆にとりかかる。翌年、自費出版された『破戒』は大ヒットしたため、一家の生活も少しは楽になったが、作品の完成まで極貧生活を強いた3人の娘たち、そして妻を栄養失調で死亡させてしまった。

それでも4人の子どもは生き残ったので、彼らの世話係として、藤村にとっては姪にあたる島崎ひさ、こま子の姉妹が彼の家に住み込みの手伝いとして来てくれることになった。

しかしやがて、藤村はこま子に罪深い思いを抱くようになる。〈（※190）八年から十一年にかけて、藤村と姪（※こま子）とは、上野公園下の池ノ端（いけのはた）で時おり逢って語りあったが、消そうと努める藤村への姪の思慕は募るばかりであった〉（※『論集　島崎藤村』）。家の中では家族の目があるから、わざわざ外で逢い引きしていたのだが、ひさが結婚して藤村の家から出たあと、藤村とこま子は抜き差しならない関係に陥ってしまう。

近親相姦を『新生』で暴露

こま子が19歳だった明治45年／大正元年（1912）半ば、ついに二人は肉体関係を持ったが、その翌年、藤村は自分の子を妊娠中のこま子をひとり残し、フランス留学という名目で船に乗って逃亡してしまった。しかも船に乗り込んでから、実の姪・こま子との近親相姦を兄にあらいざらい告白し、処女だった彼女を妊娠させたと懺悔する手紙を送りつけたのだ。兄は悶絶するが、こま子の将来を考え、黙秘を選択する。その後、こま子が産んだ赤児は里子に出されてしまった。

3年後、藤村は何食わぬ顔で日本に帰国してくるのだが、こま子の気持ちは冷めておらず、藤村のことをいまだに激しく求めているのだった。こま子と藤村は禁断の愛を再燃させてしまう。しかし、20代半ばを過ぎてもなお〈自分達は一般の人とは違う尊い真の生活をいとなんでいるのだ〉（※小島信夫「東京に移った同族」）と言って聞かないこま子は、藤村には重荷になってきた。愛に盲目すぎる姪が怖くなったのかもしれない。

こま子を切り捨てたい藤村は、自分と彼女の近親相姦について記した実録小説『新生』を執筆し、朝日新聞の新聞小説として発表してしまう。彼女から送られた〈二人して いとも静かに 燃え居れば 世のものみなは なべて眼を過ぐ〉、つまり「藤村以外、私には何も見えない、見たくない」と言っているに等しい愛の歌も小説に引用し、世間に晒した。

この暴露小説によって、こま子は台湾にいる伯父のもとに送られ、藤村との関係は強制終了することになった。

1868 - 1894

北村透谷（きたむらとうこく）

元祖「処女厨」

詩人・批評家。本名・北村門太郎。小田原生まれ。東京専門学校（早稲田大学の前身）などで学ぶ。自由民権運動に加わるが、途中離脱。島崎藤村らとは同人雑誌『文学界』を創刊している（文藝春秋が刊行している「文学界」とは別）。雑誌『平和』の編集者として平和運動も行ったが、25歳のときに縊死した。

「処女厨」を生み出した男

北村透谷は、明治期としては異例の激しい恋愛を経て年上の女性・石坂ミナと結婚、キリスト教に入信した。その後、大胆なまでに恋愛を全肯定した『厭世詩家と女性』などの評論文を発表しているが、彼は日本に「処女崇拝」を持ち込み、根付かせた人物でもあった。

評論『処女の純潔を論ず』では、明治時代でもよく読まれていた曲亭馬琴の『南総里見八犬伝』のヒロイン・伏姫の「純潔」が、妖犬・八房をも成仏させたのだという論調だ。伏姫は八房の「気」に反応し、妊娠・出産を経験しており、獣と人間の禁断の関係なのだが、それも「処女懐胎」だったから全部許されてOKらしい。キリスト教徒の透谷は「純潔な女性は汚れてしまった男をも救う」という欧米文学から輸入した信念から、世に知られた馬琴作品の新解釈を試みている。

実際のところ、透谷の「処女厨」ぶりには、のちに透谷が結婚したミナとプラトニックな関係でいた頃がいちばん楽しかったという回顧が含まれていると考えられるが、北村による熱烈な処女崇拝、そしてプラトニックラブ礼賛は、女性とはとりあえずセックスのために付き合うという発想だった明治初期の文学青年たち——たとえば島崎藤村や、木下尚江（きのしたなおえ）などの恋愛観・性愛観に衝撃を与えた。のちに作家となった木下は「大砲をぶちこまれたようだった」と証言している。

明治時代以前の日本にも女性を神聖視することはあったが、彼女が処女かどうかを重視することはほとんどなかった。それが北村透谷以降、処女こそが若き女性の理想像として定着していく。今日まで続く「処女厨」の伝統の誕生である。

1872 - 1896

樋口一葉

想い人と泣く泣く絶縁

小説家。本名・なつ。夏子とも書く。東京生まれ。当初は歌人を志すが、父と兄を失くし、世帯主になったので、女性でも男性と互角に稼げる職業作家を目指した。1891年頃から半井桃水に師事し、『闇桜』でデビューするが極貧生活を送る。『たけくらべ』が森鷗外から激賞され、ブレイクの兆しの中、肺結核で死去。

樋口一葉は幼少時から母親に「お前の髪は赤くて縮れているから不美人だ」と言われて育ち、自己評価が低かった。明治初期の東京にも江戸時代の寺子屋の流れをくむ歌塾が存在し、一葉は「萩の舎」の門弟となり、優秀な成績を収めたが、人間関係につまずきまくってしまう。引っ込み思案な一葉の言動には卑屈さがつきまとっていて、自分の意見をはっきりとは出さず、他人の顔色をうかがうクセがあった。

運命の恋人・半井との絶交

当初は歌人を志した一葉だが、父と兄を相次いで失くし、明治22年(1889)以降、世帯主になったので、女性でも男性と互角に稼げる職業小説家を目指すようになる。明治24年(1891)4月15日、一葉は思い切って半井桃水の自宅を訪問した。しかし緊張のためか、なんの用事で来たのかも自分からは言わなかった。半井が気を利かせて、いくつか質問したのだろう。一葉の来訪目的は、半井が朝日新聞の記者で小説も発表していたので、「女性でも男性に負けぬくらいに稼ぎうる文士の道に進みたい、私を弟子にしてくれ」だとわかったが、即座に猛反対されてしまう。一葉は小説家志望だったのに古典文学しか知らず、流行小説など読んだこともなかった。

　このとき、一葉19歳、半井桃水30歳。〈色いし良く面ておだやかに少し笑み給へるさま、誠に三才の童子もなつくべくこそ覚ゆれ〉（※『若葉かげ』）とか、いい具合に肥えている、体つきがよいとか、一葉はたいそう好意的に（エロい目で）半井を眺めている。一方、半井は一葉がまだ19歳なのに、着物も髪型も〈非常に年寄めいて（※中略）大層淋しく見えました〉などと述懐している（※半井桃水「一葉女史」）。彼の目に映る一葉は、卑屈で不審な女でしかなかったのだ。

　それでも、なしくずしに一葉の面倒を見るようになる半井だが、一葉が自作や日記の中で師弟関係を奇妙に美化し恋愛風に描いたことで、半井は一葉の恋人だったと言われるようになる。

　しかし、一葉と半井の関係は、1年程度で終わってしまっていたらしい。周囲から噂を立てられたことを理由に、一葉のほうから半井を絶縁したからだ。

　少なくとも一葉は半井に好意を抱いていたが、半井家は裕福すぎて、貧乏士族の一葉の実家とはつりあわない。ゆえに「結婚は無理」とふんだ一葉は、本格的に噂される前に彼との関係を切った。自分に縁談が持ち上がったとき、ほかに男などいないと見せなくてはいけなかったためだろう。

その後、一葉は明治27年（1894）に『大つごもり』、その翌年に『たけくらべ』『にごりえ』などを書きあげる「奇跡の14ヶ月」を迎えた。

一葉は処女か非処女か

一葉は、半井のことを思い出しては涙ぐんでしまう、と『若葉かげ』『しのぶぐさ』などタイトルをつけた日記に書き連ねているが、半井とはその後も隠れて会うことがあったし、彼から毎月15円（現在の貨幣価値で15万円ほど）のお金を受け取っていたと、半井家からの証言がある。ほかにも一葉は、相場取引で裕福になった久佐賀義孝（くさがよしたか）という占い師の男性から「ワシの愛人になれば金をやる」と言われると、なんだかんだと理由をつけ、一度も抱かれることなく、それでも毎月15円引き出させ続けたことが判明している。

日記を信じれば、一葉は死ぬまで処女だった。しかし、その裏ではいつかは処女を捧げると「餌」をチラつかせ、毎月の援助を複数の男性から得る生活をしていたらしく、なかなかやり手のパパ活女子であった。

なお、『炎凍る』では、瀬戸内寂聴が「一葉非処女説」を唱えている。晩年の作品の内容が大人びてきているため、瀬戸内は一葉が誰かと一線を超えたと考えたようだ。しかし、文筆業がそこまで金にならない一葉にとっては職業愛人になるより、良家の男性との結婚こそが生活を一変させるための秘策で、良縁のためには処女を守ることが当時の必須条件だった。少なくとも一葉はそう考えていたはずだ。

奇しくも北村透谷が、処女崇拝を打ち出した『処女の純潔を論ず』で反響を呼んだ明治25年(1892年)、一葉も『闇桜』を発表して作家デビューを遂げた。しかし、その後も続く貧困に執筆意欲が下火になる。翌年7月、確実な生活の糧を得ようと、現在の台東区・下谷に吉原の遊客ねらいの駄菓子と雑貨の店を開いた一葉の経験は、遊女に売られる運命の少女を描いた『たけくらべ』に結実するが、江戸時代にはそれなりの尊敬を集めた吉原の遊女も、明治ともなればただの娼婦で、嫌がられる仕事にほかならなかった。それは処女崇拝が日本に根付きはじめた事実と、無関係ではない。そして一葉が、若い女性の価値を「処女」という一点で考えるようになった時代の変化に気づかぬはずもない。

処女を失ったところで、人生経験を得られて、それがよい小説を書くための素材になるなら構わない……と考えるのは、瀬戸内が男性に養われずに筆一本でやっていける自信のある昭和の作家だからで、瀬戸内のようには小説で稼げなかった明治の一葉が、処女という切り札を簡単に棄てるとは考えにくい。そのために好きだった半井と表向きにせよ、泣く泣く距離を置いたということを忘れてはいけない。

また、一葉が久佐賀義孝のことを日記の中で罵(ののし)るのは、そんな低額のお手当くらいで私の処女が本当に買えると思っているのか、という怒りだろう。これは今のパパ活女子が、値踏みしてくるおじさんに激怒するのと同様である。

後年の半井は一葉についてのコメントをほとんどしなくなり、「自分は彼女の理想化された恋の一材料にされていたにすぎない」などと書いたが、それは正しい認識だろう。半井は一葉から搾取された形だが、彼女への投資は半井に意外な利益をもたらした。半井の小説は現在ではほとんど読まれていないが、25歳の若さで亡くなった一葉は、森鷗外からも激賞された遺作『たけくらべ』をはじめ、現在でもその作品が読まれ続ける文豪に成り上がった。半井は「一葉の恋人」として永遠に文学史に名を残すことになったのだ。

文豪こぼれ話

夏目漱石との接点

樋口一葉の父は夏目漱石の父と同じ職場に勤めており、一葉と漱石の兄との間に縁談が持ち上がったことがある。しかし一葉の父・則義は借金をたびたび行っていたため、破談になったという（※夏目鏡子『漱石の思ひ出』）。

1873 - 1939

極度の潔癖症

奇癖のデパート

天才であるゆえに奇癖も多いと考えられていた鏡花の一日は、尊敬する師匠の尾崎紅葉（→P56）の肖像画に礼拝を行うことから始まったという。また、冬に他人の家に行くと、なぜか左手の指を火鉢の灰の中につっこまないと、話ができなかった（※「新聲」第12巻）。万事この調子なので、鏡花先生がどこそこでこんな変な振る舞いをしたという記事が雑誌に載っていたくらいである。

赤痢（せきり）になって苦しんでからは、病的な潔癖症となった。とくに蝿の存在が絶対に許せず、家の中で蝿を見つけると仕留めるまでは妻まで駆り出し、大騒ぎしたという。刺し身が出されると「煮てくれ」と言ったし、果物や大根おろしですら煮なければ食べられなかった。酒も熱燗（あつかん）どころか、

小説家。本名・鏡太郎。金沢生まれ。父は腕のよい彫金師、母は能楽師の家系。母が29歳で死亡し、妹たちと生き別れた。17歳で上京し、翌年から尾崎紅葉に入門。『高野聖』『草迷宮』などの幻想小説、『婦系図』などの恋愛小説、あやかしの世界を描いた『夜叉ヶ池』『天守物語』などの戯曲によって多くの読者を獲得した。

素手ではとっくりに触れないほど熱した沸燗(にえかん)でないと飲めない。作家仲間は、これを「泉燗」と呼んでいた。

常人には理解しがたい理由で好き嫌いが激しかった鏡花が、唯一、ふつうに食べられるメニューが鳥鍋だったが、潔癖症の鏡花は肉が煮崩れ、グチャグチャの見た目にならないかぎりは口にすることができなかった。大食らいな谷崎潤一郎と会食したときは、自分のぶんの鶏肉を守るため、鍋に線を引いて「ここからは手を出しなさんな」と言ったらしい。

大好物だった豆腐も「腐」という文字を見るだけでも耐えきれないので、わざわざ「豆府」という表記を使った。これを編集者から訂正されると、機嫌を損ねて口をしばらく聞かなかったというが、この背景には鏡花が「文字に言霊が宿る」という考えの持ち主だったことも影響しているのかもしれない。

文豪こぼれ話

ウサギコレクション

早くに亡くなった母親から出世のお守りとして水晶のウサギを送られて以来、晩年にいたるまでウサギグッズを熱心にコレクションしていた。しかし、潔癖症なので生きたウサギを飼育することはなかった。

1878 - 1942

与謝野晶子（よさのあきこ）

情熱的すぎた夫婦関係

歌人。大阪・堺市の老舗の菓子店・駿河屋の三女として生まれる。本名・鳳（ほう）志よう。10代のときから詩歌を文芸雑誌に発表し、『明星』主催の与謝野鉄幹と出会う。『青鞜』とも関係があったが平塚らいてうとは不仲だったという。『源氏物語』の現代語訳を最初に試みたことでも知られる。

鉄幹への一途な愛

「与謝野晶子」と「バナナ」は、一緒に検索してはいけないワードだと言われる。検索すると、晶子が自分の膣の中で一晩寝かせたバナナの浅漬を、与謝野鉄幹が朝食にしたというような話が出てくるからだが、噂の出処は金子光晴のエッセイ『人非人伝』である。

大正時代、「相対会（そうたいかい）」という性科学研究サークルを主宰していた小倉清三郎という学者のもとには、芥川龍之介や平塚らいてふ、大杉栄などの著名人が集い、「相対」という会報に自身の特異な性体験を匿名投稿していたが、晶子の夫・鉄幹も「相対会」への入会を希望した。小倉から、これまで特異な性体験はあるか聞かれた鉄幹が、得意満面で先述のバナナの話をしたのだ（ただし、小倉からは「そんなことは誰でもやっています」と言われてしまったらしい）。

とんでもなく思える「バナナ伝説」だが、その信憑性に疑いを持てないほど、晶子から鉄幹への愛は激しく、深かった。21歳のときに鉄幹と出会って恋に落ちた晶子は、彼を追って上京、内縁の妻や他の女弟子との三角関係を勝ち抜いて彼と結婚した。その後、晶子は鉄幹との間に12人もの子どもをもうけ、その養育費をほぼひとりで担う、一家の大黒柱となっている。

夫・鉄幹の黄金時代は明治後期だったが、彼のロマンティックすぎる作風は時代にすぐに合わなくなり、稼げなくなってしまっていた。夫が元気をなくすのが耐えきれない晶子は、明治44年（1911）には、2000円（現在の貨幣価値で2000万円以上！）もの大金を稼ぎ、鉄幹を憧れの国・フランスまで旅立たせてやっている。しかし、家の中に夫がいなくなると寂しくてたまらなくなり、今度は自分の旅費も捻出し、フランスまで夫を追いかけていってしまう。

そして、鉄幹との再会の喜びを次の歌に詠んだ。

〈ああ皐月 仏蘭西（ふらんす）の野は 火の色す 君も雛罌粟（こくりこ） われも雛罌粟〉

赤いコクリコケシの花が咲き乱れるフランスの5月の野原を「火の色」と表現したあたりには、いくつになっても旦那にガチ恋し続けた晶子の情熱が重ね合わされているようだ。

黒歴史になった『みだれ髪』

日露戦争の真っ只中、実家の跡継ぎだと目されていた弟・籌三郎（ちゅうざぶろう）が出征する際、与謝野晶子は「君死にたまふことなかれ」という詩句で、平和の尊さを訴えた。それゆえ反戦運動家のイメージも強いが、それは彼女の若い頃に限定した話にすぎない。のちには見事に右傾化しているのだ。「君死にたまふことなかれ」から38年後、四郎という息子を太平洋戦争に送り出すときには〈水軍の 大尉となりて わが四郎 み軍にゆく たけく戦へ〉――天皇陛下のために戦ってこい、わが子・四郎よ！という歌まで詠むようになった。時代とはいえ、「お国のために君死にたまへ」と言いかねない思想の転換である。

そして「軍国の母」となった晶子にとって、青春時代に愛と性の自由を詠み上げた『みだれ髪』の歌などはむしろ黒歴史となり、大胆な性愛表現については、道徳的な観点から見て正しくなるように推敲している。たとえば〈春みじかし 何に不滅の 命ぞと ちからある乳を 手にさぐらせぬ〉は、〈春みじかし 何に不滅の 命ぞと ちからある血を 手にさぐるわれ〉と改変されてしまった。

永井荷風

1879 - 1959

偏屈な「偏奇館」主人

小説家、随筆家、劇作家。本名・壮吉。デビュー作『地獄の花』発表後、欧米に遊学。帰国後、短編小説集『あめりか物語』『ふらんす物語』で高評価を得る。のちに欧米を崇め奉る明治日本の文化風土に嫌気がさし、古きよき江戸情緒を求めた。花柳界や下町と深くつながり、小説に『おかめ笹』『濹東綺譚』などがある。

恵まれた財力の使い道

東京・小石川に生まれた永井荷風は、父祖から引き継いだ財産に支えられ、好きなときに好きな内容を執筆できる特権の持ち主だった。しかし、その財産の使い道はまともではなかった。荷風の作品の中ではプロの女性たちが重要な役割を果たしているが、彼の第一の趣味は遊郭に通って娼婦を買うことだった。のちには自分で娼館をつくり、壁に穴を開け、お抱えの娼婦と客たちの痴態を覗き見するようになっている。荷風の満足度が高ければ、その客のお花代は安くしてもらえたという。

荷風は2回結婚するがどちらも破綻し、その後は生涯独身だった。戦前には、麻布の20坪程度の土地に、自らの偏屈さを認めて「偏奇館」と命名したペンキ塗りのハイカラな洋館を建て、ひとりで住んでいる。他人の目に触れることがない家の中は徹底して節約され、照明は乏しく、裸電球が吊るされ、うす暗かった。暖房器具としては火鉢があるだけで、光熱費を徹底して切り詰めて暮らしていたらしい。

このように荷風は風俗以外のことにはかなりのドケチで、無賃乗車を自慢することもあった。三島由紀夫は荷風について〈永井荷風先生は日本における最高のフランス的ケチであり、ハイカラもここまで行かなければ本物ではありません〉と評している（※三島由紀夫『不道徳教育講座』）。ケチにフランス的も和風もあるものだろうか？

心配性の荷風は、小切手、通帳、現金、さらには土地の権利証と、財産を丸ごとボストンバッグに入れて常に持ち歩いていた。しかし、昭和29年（1954）4月末には、有楽町から千葉・市川の自宅へ帰る電車の中に当時の額面で現金1700万円、小切手500万円を入れたバッグを置いてきてしまった。今なら何億円にも相当する大金だが、アメリカ軍木更津キャンプのルイス・C・ムサチオ軍曹が駅のホームで荷風のバッグを発見し、警察に届けてくれたおかげで無事に戻ってきた。

荷風は日記に〈余は予め用意し置きたる礼金（五千円）を米兵に贈〉ったと、さらっと書いているだけだが（※「断腸亭日乗」）、事件を報じた朝日新聞（※千葉版　千葉支局、昭和29年4月28日／レファレンス協同データベース）には〈要求するなら出さぬ奇人荷風習得謝礼でごねる　結局五千円をお礼　拾い主の米軍曹に贈る〉——つまり「謝礼を要求するなら払わない」と言ってモメたという記事が出ている。日記とは矛盾する内容だが、偏屈でケチな荷風が、さらっと大金の謝礼を差し出すような振る舞いなどしない気がする。

晩年の荷風は、昼になると浅草の蕎麦屋「尾張屋」に通った。そして、毎回同じ席に座って「かしわ南蛮そば」というメニューを仏頂面で食べ続けたという。ふだんは食べたら黙って帰るのに、ある日の荷風は珍しく、お手洗いの場所を聞いてきた。しかし、その直後にお手洗いの中で倒れているところが発見されてしまう。それからまもなく、荷風は千葉県・市川の自宅でひとり亡くなった。枕元には大金の入ったボストンバッグが置かれていた。

文豪こぼれ話

森鷗外の墓掃除

荷風の数少ないまっとうな習慣としては、「森鷗外の墓掃除」があった。新人作家時代に森鷗外から才能を認められ、また大学を出ていない荷風が慶應大の文学部教授になれたのに鷗外の了承があったと聞いてからは、大の鷗外ファンとなったのだ。はじめ鷗外の墓は向島の弘福寺にあったが、関東大震災で被災して三鷹の禅林寺に移動している。荷風にとって、東京西郊の三鷹へ行くのは一日仕事だったはずだが、遠路をものともせずに掃除を続けていた。

1882 - 1953

斎藤茂吉（さいとうもきち）

冷え切った夫婦関係と熱すぎる不倫恋愛

歌人。旧姓は守谷。山形県に生まれる。正岡子規の影響で短歌を始め、伊藤左千夫に師事し『アララギ』の編集を担当。1913年、歌集『赤光』が絶賛される。東京帝国大学医科大学（現・東大医学部）を卒業し、歌人としての活動のかたわら、医師としても勤務した。専攻は精神医学。ほかに歌集『あらたま』など。

茂吉は山形県の貧しい農家の生まれだったが、精神科医である斎藤紀一（きいち）に目をかけられ、彼の娘である輝子（てるこ）と結婚して婿養子になる。昭和2年（1927）には紀一が創設した東京・南青山の「青山脳病院」の2代目院長になることができた。

病院経営のかたわらアララギ派の歌人としても活動する茂吉だったが、昭和8年（1933）、妻・輝子が、ダンス教師・田村一男と浮気した事実が発覚する。これは人妻とダンス教師たちが情痴を繰り広げた「ダンスホール事件」として新聞にも大きく報じられ、大スキャンダルとなったが、気弱な茂吉はまともに輝子を叱れなかった。

茂吉にとっての輝子は、あくまで養家のお嬢さまで、輝子は尊敬する父親の言うとおりに茂吉とは結婚しただけだったし、〈茂吉は一種独特の体臭を持っていた〉ので、輝子からは敬遠されていたのである。〈茂吉の書斎もその臭いが漂っていた〉ため、〈書斎に入った母（※輝子）は「おお臭い！」と顔をしかめる〉のが常で、夫婦関係は冷え切っていた（※斎藤茂太『回想の父茂吉　母輝子』）。

婿養子・茂吉の熱烈不倫

そんな中、茂吉は正岡子規33回忌の歌会で子規の遠縁にあたる永井ふさ子という女性に出会い、本気で不倫の恋に落ちてしまう。〈なぜこんなにいい女体なのですか！〉（※昭和11年・1936年11月24～26日）〈ふさ子さん、……ああ恋しくてもう駄目です。（※中略）あゝ恋しいひと、にくらしい人〉（※昭和11年11月29日）などの熱烈すぎる恋文を次々と書き送った。

あるとき、ふさ子の写真を見ていた茂吉の目には、まるで〈乳ぶさ〉や〈その下の方〉まで〈すきとほって見え〉てきた。感極まった茂吉は〈食ひつきたい！　……尊い、ありがたく、甘い味あひのしたあのへん！〉と奇怪な手紙を書いている（※昭和12年・1937年3月19日／真壁『人間茂吉　下』）。

〝推し〟への「尊い」という感情が、この時代からすでにあるというのが興味深い。ふさ子にあてた茂吉の恥ずかしい恋文は現存するだけでも100通以上ある。

高村光太郎（たかむらこうたろう）

1883 - 1956

結婚しない主義

詩人、彫刻家。本名・光太郎（みつたろう）。東京生まれ。父は木彫家・高村光雲。東京美術学校を卒業し、1906年から3年間、欧米に遊学。帰国後、文芸誌「スバル」などで詩や評論文を発表する文筆活動に入った。詩集『道程』、『智恵子抄』など。フランスの彫刻家ロダンにまつわる著作でも有名。

『智恵子抄』の背景

高村光太郎は3年間、欧米留学をしたが、異文化に触れたことで当時でもなお日本人を支配していた封建制度を批判するようになった。結婚制度も男女の自由を縛り付けるとして否定して「結婚しない主義」となり、パートナーとの間に子どもを持つことも拒絶した。幼少期から仲が悪かった父親・光雲への反発をこじらせた結果かもしれない。

浅草のカフェのお梅という女給にガチ恋をして、嫉妬のあまり往来までテーブルを放り投げていた光太郎だが、やがて福島の裕福な旧家出身の女性・長沼智恵子（チエ）と出会って惹かれあい、「デカダン」な生活態度を改める。大正2年（1913）9月には彼女と婚約した。しかし、12月に披露宴だけは行ったものの、長い間、入籍しようとはしなかった。

智恵子は画家志望だったが、光太郎は彼女の才能に否定的だったし、無口で不器用な智恵子を純粋な理想の女性だと崇める光太郎は、それ以外の彼女の一面を認めようとしなかった。また、彼女との関係を二人の芸術家の自由な共同生活であるかのように世間には言いつつ、実質的には家事などのすべてを智恵子に押しつけていたため、光太郎との暮らしは彼女にとってひたすらにつらいものとなり、福島への里帰りがいつしか彼女の心の支えになっていた。

ところが実家が没落し、帰る場所を失った智恵子の精神状態は悪化。昭和7年（1932）には自殺未遂まで起こしている。

その翌年、光太郎は智恵子と入籍を決意するが、すべてを水に流して幸福な結婚生活を送るには時すでに遅く、智恵子は何もかも忘れ、まるで子どものように切り紙作品をつくるだけになってしまっていた。

志賀直哉（しがなおや）

1883 - 1971

里見弴とのこじれた恋愛関係

小説家。宮城県生まれ。学習院を経て東大英文科中退。学習院の級友と文芸雑誌「白樺」を創刊。学習院時代、父親と政治問題で対立して不仲になったが、『城の崎にて』で世評が高まり、父とも和解できた。短編～中編作品が多いが、何度も中断しながらも長編『暗夜行路』を完成させ、高い評価を得た。人呼んで「小説の神様」。

「汝　けがらわしき者よ」とハガキで送りつける

作家・里見弴（さとみとん）（→P105）とは学習院時代からの親友だった。仲がよすぎて同性愛的な関係でもあったが、プラトニックラブのままで終わった。大正5年（1916）頃、両者の関係はかなりゴタついており、里見のことをあいかわらず自分の「ちご（稚児）」として、支配下に置こうとする志賀に対し、里見が反抗的な姿勢を見せるようになった。両者ともに、この時期の直前に女性と結婚していたが（志賀の結婚が1914年で、里見がその翌年）、志賀に結婚されたことで、里見は彼に見切りをつけたのかもしれない。

関係の亀裂が決定的になったのは、大正5年に「中央公論」誌に里見が発表した『善心悪心』

という短編を志賀が読んだときだった。志賀は汽車の窓から雑誌を投げ捨て、駅に着くと郵便局に直行、そこから〈汝（なんじ）　けがらわしき者よ〉とだけ大書きしたハガキを里見に送りつけた（※瀬戸内寂聴『生きた書いた愛した　対談・日本文学よもやま話』）。届いたハガキを見た里見は、文字で志賀だとはわかったが、そこまで怒られる理由がわからず、妻と二人で困惑した。

この『善心悪心』という作品のどこが志賀の逆鱗に触れたかについては、それからも明かされず、諸説あるが、通読するかぎり、馴染みの遊女との関係を金で精算しようとしている主人公（＝里見）の姿や、志賀をモデルとした人物に、主人公が初体験の女性について嘘をつき続けていたことなどが書かれ、それらすべてに衝撃を受けた結果、志賀の心の底から出てきた言葉が〈汝　けがらわしき者よ〉という痛罵（つうば）だったのかもしれない。

両者はのちに和解しているが、志賀が激怒した理由は不明のままだ。里見が志賀との恋について書いた『君と私』という小説に対しても、途中から、なぜか志賀が「モデルとしての不服」を唱え始め、作品は未完に終わっている。

北原白秋（きた はら はく しゅう）

1885 - 1942

国民的詩人のひどい癇癪

詩人・歌人・童謡作家。本名・隆吉。福岡県生まれ。『思ひ出』『桐の花』などで大正時代の新しい詩風を確立。童謡雑誌「赤い鳥」にも協力。「この道」「待ちぼうけ」などで「国民的詩人」との名声を得た。生活のため仕事を選ばない一面もあり、第二次世界大戦中には『萬歳ヒットラー・ユーゲント』などの作詞で黒歴史を残した。

泉鏡花全集を投げつける

発声練習の題材として有名な〈あめんぼ あかいな あいうえお〉で始まる『あめんぼの歌』や、山田耕筰（こうさく）が曲をつけた『この道』などでも馴染み深い、国民的詩人・北原白秋。

しかし白秋の2人目の妻・北原章子によると、〈北原は恐ろしい癇癪持ち〉で〈家庭では時々陰鬱な恐ろしい顔〉をしたという。他人から見れば、別に理由もないようなことに〈むくむくと怒りはじめ、手のつけようがなかったそうだ。ひどいときは一日に何度も物を投げつけて怒り、〈真赤におこった火をひっ掴んで投げつけたり〉もした。火鉢の中の燃えている炭を素手でつまんで投げつけても、本人は不思議と火傷しなかったという（※北原章子「妻の観たる白秋」／瀬戸内「ここ過ぎて」連載第十七回）。

ほかには、辞書のような分厚さの泉鏡花全集の本を投げつけることもあった。ときにはテーブルまで投げるので、居室の障子やふすまはズタズタのボロボロだったという（※北原東代『白秋片影』）。叙情詩人の居室としては失格ではないだろうか。

白秋の怒りの爆発の犠牲になったのは家族だけでない。大正12年（1923）6月6日、きつい仕事をしたのにギャラが安すぎると激怒した白秋は猛抗議の手紙を編集者に送りつけている。すでに白秋が「国民的詩人」の名声を手に入れたあとの話だが、あまりに感情的すぎだ。ちなみに白秋が激怒したのは、彼の自宅があった小田原から東京まで、交通費自腹負担で5日往復し、会場ではカンヅメにされて8時間働き、応募されてきた素人作の2万3000もの詩歌の採点をやらされたのに、その労働対価が150円だったからだ。現代の貨幣価値でいえば、多くて15万円程度だろうか。たしかに割がよい仕事ではないかもしれないが……。

なお、手紙の最後では、「今、一文無しだから、原稿料を前借りでくれないか？」と、恥も外聞もなく頼み込んでいる。

1885 - 1928

若山牧水(わかやまぼくすい)

子持ち人妻に5年を捧げる

歌人。本名・繁。宮崎県生まれ。祖父は蘭医、父も医者。早稲田大学在学中から自然主義文学の影響を受け、1908年、歌集『海の声』を自費出版。1910年の歌集『別離』で高い評価を得る。恋と酒と旅の歌人として有名。日本各地に建てられた石碑・歌碑がいちばん多い歌人としても知られる。

人妻へのガチ恋から生まれた名歌

明治39年(1906)、友人の恋愛を手伝おうと神戸を訪れた若山牧水は、そこで病気療養中の一つ年上の女性・園田小枝子(さえこ)と出会い、運命的な恋に落ちる。牧水が早稲田大学3年生の頃だった。その後、小枝子が上京し、連絡をとってきたので、二人の関係は深まるが、彼女はなかなか牧水に抱かれようとはしない。実は小枝子は夫と2人の子どもがいる人妻だったからだが、真実を知ってしまった牧水は衝撃のあまり、あの有名な歌を詠んだ。

〈白鳥は 哀しからずや 空の青 海のあをにも 染まずただよふ〉(意訳:青い空と青い海のどちらにも染まらず純白のままの白鳥であることよ)……孤高の印象の歌だが、背景がドロドロしすぎている。

それでも牧水の思いは変わらず、明治41年（1908）、小枝子とはついに結ばれた。愛の成就に歓喜する牧水が詠んだのが次の歌である。

〈山を見よ 山に日は照る 海を見よ 海に日は照る いざ唇を君〉（意訳：山にも海にも太陽の光が満ち溢れているよ。さぁキスをしよう）

意中の女性とセックスしただけで、こんなギラギラとした真夏のような歌を詠んでしまう牧水の「童貞力」はものすごい。実際はもちろん「童貞」ではなくなっているのだが、歌が詠まれたのは明治41年の正月、いくら暖地とはいえ、真冬の房総半島・根本海岸で、しかも小枝子のいとこが隣にいる中でのことだった。本当に牧水には小枝子以外、何も見えていないのだ。

牧水にとっては悲惨なことに、その後、小枝子との関係は次第にうまくいかなくなった。小枝子も牧水を嫌ってはいなかったが、子持ちの人妻で、肺病病みの自分が、まだ生計を立てる手段さえ持っていない20代前半の学生――しかもすこぶる濃い思いを小枝子に抱いている牧水のような男と恋愛することは、彼をもてあそぶことにほかならないのでは……という躊躇が生まれても当然だろう。

出会いから5年後、小枝子から正式に別離を告げられた牧水は次の歌を詠んだ。

〈若き日を ささげ尽くして 嘆きしは このありなしの 恋なりしかな〉

（意訳：青春の5年を捧げた上での失恋だけれど、本当にこれは恋愛と言えるものだったのだろうか。僕の独り相撲にすぎなかったのではなかったか）

酒好きでいつも深酒していたことが祟ったのか、牧水は43歳で早死している。失恋の歌を詠んだときには人生が43年で終わるとは思っていないだろうが、たしかに彼の短い生涯での5年間は長すぎた春だった。

1885 - 1967

柳原(やなぎわら)白蓮(びゃくれん)

血統への異常なプライド

歌人、社会運動家。柳原前光伯爵の次女。九条武子、林きむ子と並ぶ「大正三大美人」。華族女学校を中退、京都の公卿華族・北小路資武と結婚したが離婚。子を置いて東京に戻り、東洋英和女学校で学ぶ。九州の富豪・伊藤伝右衛門と政略結婚するが離婚、年下の学生・宮崎龍介との出奔劇で有名に。歌集『踏絵』『幻の華』など。

「平民が自分よりも先に車へ乗り込んだ」と泣く

公家の名門・柳原(やなぎわら)家の娘で、本名は燁子(あきこ)。彼女は父親が芸者に産ませた婚外子なのだが、大正天皇のいとこにあたる自身の血統にかなりのプライドを持っていた。

このため、大富豪・伊藤伝右衛門(でんえもん)との結婚生活が悲惨なものになった。結婚式の直後から燁子は黙ってしくしくと泣きだし、周囲は当惑した。しかも、燁子が涙した理由は「帰りの車に平民の伝右衛門が、華族の燁子よりも先に乗り込んだ。プライドが傷つけられた」だった。今や「筑(ちく)豊(ほう)の炭鉱王」と呼ばれている伝右衛門だが、彼女にとっては一介の炭鉱業者あがりの平民にすぎなかったのだ。

のちに伝右衛門は早逝した姉の子を引きとり、母親がわりに一緒に寝てやってくれと燁子に頼んだ。またもや燁子は泣きだした。平民の子などを抱いて寝るということは、死ぬよりつらい屈辱だったからだ。「大変な妻をもらってしまった」と伝右衛門は後悔したという。燁子がプロの歌人としてデビューできたのも、伝右衛門の資金援助あってのことだったが、「白蓮」という雅号は、ドロの中から出ても汚れなき白い花を咲かせる蓮に自分の姿を例えたものであった。

しかし燁子は、やがて平民出身の人権派弁護士・宮崎龍介と熱烈な恋に落ちて駆け落ちし、のちには彼と喜んで結婚もする。吉原の娼妓たちが遊郭から足抜けするのを手伝い、違う人生を歩めるよう、手伝ったりするようになっている（※森光子『吉原花魁日記』）。

文豪こぼれ話

美智子妃バッシングの旗振り役？

「燁子が美智子妃バッシングの旗振り役だった」という噂は根強い。燁子は結婚のために華族女学校（学習院女子部の前身）を中退し、伊藤伝右衛門との離婚のスキャンダルで実家からは勘当され、華族名鑑の類からも除名されてしまっていたが、のちに歌人として成功したことで、学習院女子などの出身者によるOG組織「常磐会」の高貴な方々ともふたたび親しく付き合うことができるようになっていた。常磐会の会長・松平信子は皇太子妃に選ばれた美智子妃が聖心女子大出身で、常磐会とは縁がない女性であることに激怒していたので、燁子もバッシング活動に巻き込まれてしまったのかもしれないが……。

石川啄木

いしかわたくぼく

1886 - 1912

小説を書く根気がなくて歌人になった

歌人・詩人。本名・一（はじめ）。岩手県生まれ。盛岡中学入学後は詩歌雑誌『明星』を愛読し、創作に励んで学業に失敗。デビュー詩集『あこがれ』で将来を期待されたものの、生活苦に陥り小説家を志す。北海道や東京に渡るが、そのいずれでも生活が破綻。１９０９年、文芸雑誌『スバル』創刊。歌集に『一握の砂』『悲しき玩具』。

与謝野夫妻のアドバイスを無視

もともと石川啄木は小説家志望だった。現在の啄木の肩書が「歌人」になっているのは、彼に小説を量産していくだけの気力・体力がなかったことを意味している。

明治41年（１９０８）、啄木は遊女から借りた金を含む元手で、上京の夢を叶える。しかし、与謝野鉄幹・晶子夫妻のもとに今後の相談に行くと、「出版不況で文芸書がまったく売れなくなり、詩歌雑誌『明星』の部数も激減中で、晶子が仕事を選ばずにしても、毎月90円（現代日本円で90万円ほど）を稼ぐのがやっと。額としては大きく思えるかもしれないが、『明星』刊行継続に私費を投入せねばならず、子どもがたくさんいるので、結果的には生活苦」という世知辛い現実を告げられてしまった。

就職などしたくない啄木は現実をねじまげ、〈一生懸命書いて居れば、月に三、四十円の収入は必ずあるから、唯先ず書くべし（与謝野氏も八分通り此の説に候）〉、〈創作をやると共に準文学をやる覚悟さへあれば、二十円やそこいらの職につくよりもよい〉などと、生活の世話をしてくれている遠い親戚の宮崎大四郎（啄木の妻・節子の妹の夫）に手紙を書いた（※『啄木全集 第7巻』）。

要するに、与謝野夫妻の親身のアドバイスなど啄木には届いてさえおらず、ただ彼らの名前と相談しに行った事実だけを利用して「僕は就職したくないから、売れるようになるまでは金の面倒をみてね！」と言っているわけだが、啄木は「文学」どころか、「準文学」――つまりエンタメ小説さえ、まともに書くことはなかった。

そんな啄木が継続してカタチにして残せたのが、一瞬のひらめきだけで完成できる短歌だったのだ。〈はたらけど　はたらけど猶わが生活楽にならざり　ぢっと手を見る〉という歌は有名だが、勤労実態がほとんどないので、内容はフィクションと言える。しぶしぶ就職した東京朝日新聞での校正職もずる休みするばかりであった。

石川啄木は、自分の結婚式に行くのが面倒くさくなってすっぽかす、遊女から借金したカネで女を買いに行くなど、本当に地獄のような生活を送っていた。こっそり書いていた『ローマ字日記』にはどこから資金を捻出したのか、遊郭に通っては相手してくれた少女のような年代の遊女に冷たい眼差しを向け、自分は正々堂々と休職したいので〈神よ（※中略）どうか、からだをどこか少し壊してくれ（※中略）病気さしてくれ！〉と念じる、プロのダメ人間としての日々が綴られている。

人の情けにすがるのが上手というか、短歌を詠む以外はそればかりの短い生涯だったが、自分の葬式すら、浅草の等光寺が実家だった歌人・国文学者の土岐善麿（ときぜんまろ）のお慈悲で、費用を負担して出してもらっている。

文豪こぼれ話

借金の言い訳を1メートルの手紙に綴る

啄木には詳細な借金ノートを書いていた時期がある。啄木が18歳だった明治37年（1904）から5年間の記録によると、63人から総額1372円50銭を借りたという。現在の貨幣価値にして借金総額1372万円あまり。1年間に平均300万円を借りていたことになり、借金だけで生計を営めていた疑惑が拭えない。

明治39年（1906）には、米屋をしている太田駒吉という人物に、借金が返せない言い訳を1メートル以上の長さにわたって書き連ねているだけの手紙を送りつけた。ただし、これは現在オークションにかければ、かなりの高値がつくかもしれない。

1886 - 1965

谷崎潤一郎

文壇を驚かせた「細君譲渡事件」

小説家。東京・日本橋蠣殻町（現在の人形町）の商人の家に生まれる。実家の経済状況が悪く親戚の援助で東大に進学するも中退。デビュー作『刺青』を永井荷風が激賞。耽美主義的作風は悪魔主義とも言われた。関東大震災を機に関西に移住、古典文学の教養を背景にした『蘆刈』『春琴抄』『細雪』。老人の変態性欲を描いた『鍵』など。

『痴人の愛』を生んだＳＭ恋愛

谷崎は生涯で3回結婚した。大正4年（1915）、29歳のときに結婚した石川千代は彼の最初の妻で、もとは向島の芸者だった。谷崎が本当に惚れていたのは千代ではなく彼女の姉で、やはり芸者あがりで、当時は「嬉野」という料亭の女将をしていたお初だった。

学生時代からお初が目当てで、この店に出入りしていた谷崎は、作家として成功したあとは入り浸ったが、お初からは「私には旦那がいるから……」とフラれてしまい、かわりに「私の妹ならあなたにお似合いよ」とあてがわれたのが、千代だったのだ。

谷崎はサディスティックであると同時にマゾヒスティックな傾向も強く、彼にとって恋い慕うお初は「女王さま」にほかならず、彼女の命令ならば……というノリと勢いで、物静かで古風な千代と結婚することにした。

しかし谷崎はおとなしい千代にすぐに飽きてしまい、小田原に構えた新居にもすぐに寄りつかなくなった。おまけに千代の年若い妹で、自由奔放なせい子という娘に岡惚れし、彼女を横浜にあった「大正活映」という映画会社の看板女優にすると言い出して当地に家を借り、同棲まで始めてしまったのだ。

せい子は谷崎など歯牙にもかけない様子だったが、一方的にせい子を崇め、奉るかのように奉仕する谷崎は、やがてこの倒錯した関係が新作のテーマになると思いつき、『痴人の愛』を執筆した。

知人に自分の妻を譲る

谷崎は、妻の千代に「私のほかに恋人を持ちなさい」と言っていた。せい子が成人したら、彼女を妻にするつもりだったからだが、そんな谷崎のことなど、せい子は金づるのおっさんだとしか見ていなかった。一方、千代は谷崎の後輩作家・佐藤春夫とねんごろになってしまっていた。せい子から完膚なきまでにフラれた谷崎は、千代と別れれば自分は孤独になってしまうことに気づき、いまさらながらに千代に執着し、離婚を拒むようになる。

千代と結婚できるものと思っていた佐藤は、「妻とは別れる」という約束を反故にした谷崎に激怒し、大正10年（1921）、彼に絶縁状を送りつけた。佐藤は愛する千代にも別れの手紙を送り、〈私はあなたを憎めないけれども、あなたは私を、あなたの最愛の夫の敵として憎んでください〉、〈今度こそとうとう永久にさようならです〉と涙ながらに告げたものの、千代への思いは尽きることがなかった（※佐藤春夫「谷崎千代への手紙」）。

事態が大きく動くのはこの「小田原事件」から4年後のこと。谷崎が千代との離婚に踏み切ったのだ。昭和5年（1930）8月17日、谷崎は、千代との離婚を関係者に報告した。しかし、これは並の離婚通達文ではなかった。「谷崎は妻だった千代を佐藤春夫に譲るが、谷崎と佐藤はこれまでどおりの交際を続けるから、みなさまにもご了解願いたい」などと書かれ、文壇関係者を驚かせた。

谷崎の真意は、のちに彼の2番目の妻となる女性編集者の古川丁未子（とみこ）と、3番目の妻になる根津松子という存在をキープできた今となっては、千代などお払い箱にしても、痛くも痒くもなくなったということにすぎなかった。谷崎潤一郎は、文学史上まれに見るほどのエゴイストであったと言える。

1886 - 1942

萩原朔太郎

(はぎわらさくたろう)

詩人。群馬県前橋市生まれ。父は医師で、裕福な家庭に育つ。文学に親しむだけでなく、マンドリンを奏で、絵も描いていた。北原白秋主宰の詩歌雑誌「朱欒（ざんぼあ）」で詩人デビュー。詩集『月に吠える』で一躍人気詩人となる。結婚生活には恵まれなかったが、朔太郎を慕う若い詩人たちに囲まれ、幸せな晩年を過ごした。

文豪仲間とのボーイズ・ラブ

萩原朔太郎は独特の歩き方をした。ふわふわと宙に浮くように歩き、しかも早足だったが、それは誰かにぶつかって怒られたり、人から見られるのが苦手だという理由からであった。自動車や自転車がたくさん走っている道路を横断するのが大の苦手で、同行者に引っ張ってもらえないと無理だったという。まるでネコである。

彼は子どもの頃から風変わりで、周りとは馴染めないでいた。強迫観念があり、青年時代から「門を出るときは左足から踏み出す」「四つ角を曲がるときは3回まわる」といった行為をせねばならず、苦しんだ。友人に「この馬鹿野郎！」と言いたくなる症状などもあり、人付き合いは避けていた。

しかしその孤独のためか、朔太郎を受け入れてくれる数少ない友人とは深い友情で結ばれたという（※『僕の孤独癖について』）。度がすぎたのか、やがて朔太郎は独特すぎる「BLフィルター」で親友たちを見るようになった。たとえば、親友だった室生犀星（むろうさいせい）のことは「恋人」だと認めてしまっている。

室生犀星・北原白秋との「三角関係」

頑健な室生犀星は自分の外見が許せず、容貌コンプレックスだったのだが、美しく、叙情的な彼の詩に影響された朔太郎は、はじめ犀星も繊細な美少年だと思いこんでいた。大正3年（1914）2月14日、犀星は前橋まで朔太郎を訪ねたが、このヴァレンタインデーの出会いは最悪だった。朔太郎は犀星が〈ガッチリした肩を四角に怒らし、太い櫻のステッキを振り廻した頑強な小男で、非常に粗野で荒々しい感じがした〉のでがっかりしてしまったという（※「詩壇に出た頃」）。犀星も、朔太郎のことを〈気障（きざ）な虫酸の走る男〉だと感じたらしい（※室生犀星『我が愛する詩人の伝記』）。しかし二人は次第に打ち解け、犀星の下宿代を朔太郎が払う関係にもなった。

その後、朔太郎にはもう一人、北原白秋という「恋人」ができた。朔太郎は白秋に手紙を書いて〈恋人が二人できました。室生照道（※犀星）と北原隆吉氏（※白秋）です〉と三角関係であることを宣言している（※伊藤信吉『萩原朔太郎研究』）。

1887 - 1953

折口信夫（おりくちしのぶ）

弟子へのセクハラ・パワハラ

国文学者、民俗学者、歌人。筆名は釈迢空。大阪府西成郡木津村（現在の大阪市浪速区）に生まれる。実家は漢方医で、薬や雑貨も扱った。中学時代から古典を愛読し、歌を詠んだ。博覧強記の教養を活かし、慶應義塾大学で教職にも就く。民俗学では柳田国男の弟子だったが、折口の愛弟子を柳田が引き抜いてしまうことに不満だった。

「師弟は同性愛で完全になる」という過激思想

女性嫌いの折口信夫は、〈身辺の世話から、家事や世間づきあいのはしばしまで〉、のちに養子縁組までした愛弟子・藤井春洋（はるみ）などの男弟子に任せていた。料理も男性がつくったものしか食べたがらなかったそうだ。

しかし、太平洋戦争末期の昭和18年（１９４３）、藤井の出征が決定し、彼が自分の後任者として東京の高校教師・加藤守雄を選んだことで、これまで闇に葬られてきた折口門下の「問題」が世の明るみに出てしまった。

折口には〈師弟関係は単に師匠の学説を受け継ぐというだけでは功利的なことになってしまう〉という信念があった。そして〈師弟というものは、そこ（※同性愛）までゆかないと、完全ではない〉

――師匠と弟子が性愛関係を持つことで、初めて学説が正当に受け継がれるというのだ。

しかし、折口の中で加藤守雄の文学者としての評価はかなり低く、「短歌が下手」とはっきり口にする程度だったし、単に加藤の男性的なルックスが好みだったというだけのようである。藤井も、このときは戦地から生きて戻る予定で、加藤などが相手なら、かんたんに折口を奪い返せると考えていたのかもしれない。

折口は加藤を箱根の別荘に呼びつけ、夜になると彼の布団に忍び入った。拒まれると落ち込んでいたが、そのうちムキになり、〈森蘭丸は織田信長に愛されたということで、歴史に名が残った。君だって、折口信夫に愛された男として、名前が残ればいいではないか〉と加藤を強引に口説こうとした。セクハラとパワハラの二点同時攻撃だったが、加藤は折口のもとから逃げ出してしまう。

そして、折口が末期がんで亡くなったあと、加藤には『わが師　折口信夫』という暴露的回想録を書かれてしまった（※この項の引用はすべて当該書から）。

1888 - 1983

里見弴（さとみとん）

あえてのプラトニック・ラブ

小説家。神奈川県横浜生まれ。本名・山内英夫。有島武郎、生馬の弟。学習院で「白樺」に関わったあと、東大英文学科に進学するが中退。美術にも関心が深く、イギリス人の陶芸家バーナード・リーチにエッチングを教わったこともある。目をつぶって電話帳を開き、ペンで突いて、偶然「里見」の姓を得てペンネームにした。

志賀直哉と肉体関係を持たなかった理由

5歳年上の志賀直哉とは、学習院時代から親友にして恋人のような関係だった。一重の大きな目が印象的な可愛らしい風貌、身長152センチと小柄な里見に対し、陸上部で鍛えあげたワイルドな美青年の志賀直哉は170センチ程度はあったようで、お似合いの体格差カップルだったと言えよう。

当時の学習院は、かなり同性愛がさかんな場所だった。里見は、〈十二、三の時分、一時、私は慥（たしか）に志賀君に惚れていた〉と、随筆『志賀君との交友記』で直球の告白をしており、志賀直哉も、〈男同士の恋で、彼はカナリ苦しむでゐる時だつた〉と、自身を「志賀」と実名で登場させた未完の私小説『或る旅行記　青木と志賀と、及び其周囲。』において、想い人の名はボカしているものの、おそらく里見に特別な感情を抱いていたことを認めている（※石井千湖『文豪たちの友情』）。

しかし、志賀が同性愛の世界に足を踏み入れるのに躊躇があったのに対し、里見は自宅の書生などと肉体関係を持ち、女性とも初体験を済ませるなど、早熟で、性に貪欲だった。志賀直哉との関係においてもリードするのは里見で、煮えきらない志賀を、友人としてはともかく、恋人としては早いうちに見切ったのも彼のほうだったのではないか。

いち早く文壇で活躍しはじめた里見の『善心悪心』を読んだ志賀直哉が激怒した事件は有名だが、この作品のどこが志賀の逆鱗に触れたかは不明で、諸説ある（↓P86）。

後年の里見は、瀬戸内晴美（のちの寂聴）のインタビューに応え、〈（※志賀とは）肉体的な関係にならなかったのを、大変に幸せだった〉とか、〈ほれていれば、機会さえあれば、そうなっていいそうなところだけれども、いいあんばいに何もなかったね〉などと述べている（※瀬戸内寂聴『生きた書いた愛した　対談・日本文学よもやま話』）。このとき、里見は〈それ（※肉体関係まである男性同性愛）は危険だよ〉とも発言しているが、里見は大人の男女関係をテーマにした作品で才能を開花させ、数々の名作を残したので、たしかに志賀直哉の「ちご（稚児）さん」としての人生では、彼の才能は十分に開花できなかった可能性はあるだろう。

菊池寛（きくちかん）

1888 - 1948

小説家・劇作家。本名・寛（ひろし）。香川県生まれ。京都帝国大学（現・京都大学）卒業後、時事新報社で小説を発表。戯曲『父帰る』、小説『真珠夫人』『恩讐の彼方に』など。1923年、雑誌「文藝春秋」を創刊、芥川賞・直木賞を制定。豊富な資金力を背景に、多くの文士たちと交流し、彼らの親玉的存在だった。

コンプレックスを暴露される

今日まで続く芥川賞、直木賞の制定者、そして文藝春秋社の創業者にして初代社長を務めたことで知られる菊池寛。『真珠夫人』などエンタメ文学の大ベストセラー作家でもあり、世間的には立派な成功者だったが、若い頃から容貌コンプレックスが強く、女性にはかなり卑屈な態度で接していた。

そんな中、菊池が銀座のカフェの美人女給に熱を上げ、「ガチ恋客」となって迷惑がられた事件、そして彼の外見上の問題を揶揄して描いたモデル小説『女給』という広津和郎（ひろつかずお）の作品が、中央公論社の人気雑誌『婦人公論』に掲載された。

菊池はすぐさま、「事実と小説の内容が異なる！」と主張する反論『僕の見た彼女』を中央公論社に書き送った。女性の手を握る口実として「握手しよう！」と言って、10円札（現在の5万円程度に相当）を丸めたものを握らせたり、女性を布団の敷いてある一室に誘い込もうとして完全に拒絶されたあと、長いキスをして嫌がられたなどと小説に描かれているが事実ではなく、パトロンをほしがっていた女給から営業されたので応えてやっただけだという。
しかし、『婦人公論』はその反論文さえ、タイトルをキャッチーな『僕と「小夜子」の関係』に書き換え、菊池からの変更要請は無視したのだ。

『婦人公論』編集長に暴行

怒りの炎に油を注がれた菊池は編集部に出向き、編集主任・福山秀賢の顔が腫れ上がるまで殴打して、暴行罪で提訴されている。一方で菊池も編集部を名誉毀損で訴えるというダブル訴訟劇になってしまったが、『女給』原作者の広津和郎が、菊池と編集部の間に立って調停してくれたことで、ようやく問題は解決した。

菊池が『婦人公論』を訴えた名誉毀損の焦点は小説の内容ではなく、その連載開始を告げる新聞広告のキャッチコピーだった。〈太って実業家のような文壇の大御所〉に拉致される女給・小夜子の運命やいかに！　などという煽り文句に、容貌コンプレックスが刺激されてたまらなかったらしい（※「東京朝日」１９３０年17月16日朝刊／文春オンライン）。学生時代から相思相愛の男性の恋人は何人かいたのでモテないというわけではないと思うのだが……。

菊池の中では作者の広津は友人であるがゆえに、まともに責められなかったようだ。菊池が「広津君、とんでもない小説を書いてくれたな！」と怒りをあらわにできる性格だったなら、暴力事件も起きなかっただろう。また、菊池は自身の秘めたるコンプレックスなど、（いくらそれが公然の秘密であっても）言葉にさえしたくなかったのかもしれない。外見など気にしていないと振る舞うことが男らしさであると信じられていた昭和初期、菊池寛の容貌コンプレックスの悩みは、現代のわれわれが想像する以上につらかったと思われる。

文豪こぼれ話

貧乏文士に金を恵む

夏目漱石の門下生だった過去があるが、親友の芥川龍之介のように「純文学」の方面では芽が出なかった菊池が大きな成功を収められたのは、『真珠夫人』以降、執筆をエンタメ小説一本に絞ったからだった。純文学志望で芽が出ない作家たちから「生活第一、芸術第二」の「通俗小説家」だと囁かれているのは承知の上で、通常なら原稿料一枚2円のところ、30円も請求していた（一説に当時の1円＝現在の1000円）。そして莫大な収入を元手に文藝春秋社を興したのだという。

大成功後の菊池の周囲には食えない作家たちが群れをなし、金をたかるようになった。菊池は将棋をさしながら、左右のポケットに詰め込んだ紙幣を、貧乏文士たちにくれてやるのが趣味だった。将来性のある者には右のポケから10円札、才能がない者には左のポケから5円札……と、区別はしていたらしい。

1889 - 1939

岡本かの子

マイペースな嫌われ者

小説家、歌人、仏教研究者。本名・カノ。東京生まれ。実家の大貫家は江戸時代、幕府や諸藩を得意先に持つ豪商。画家・漫画家の岡本一平と結婚するが、夫婦関係に悩んで仏教研究に没頭。「青鞜」にも参加。歌集『かろきねたみ』『愛のなやみ』、小説『老妓抄』など。画家の岡本太郎は長男。数年間、家族とフランスで過ごした。

谷崎潤一郎へのガチ恋

岡本かの子（旧姓・大貫）は、兄・大貫雪之助の学友で、帝大に通っていた時代の谷崎潤一郎と出会い、鋭い眼差しの彼に強く心惹かれていたらしい。写真で見ると、たしかに若い頃の谷崎は肥満した晩年とはまったく異なる風貌で、大貫家の女中たちからは〈こわい顔の若様（※雪之助）のお友達〉とさえ言われていた。しかしそんな谷崎が、思春期のかの子には〈神の如く聖く〉見えてしまったようだ（※「往時を基調にして——最近の谷崎潤一郎氏」／鈴木「岡本かの子のお洒落」）。

要するに谷崎にガチ恋していたわけだが、谷崎には〈あそこの家へも泊ったり何かしたんだけれども、嫌いでしてね、かの子が。口きかなかった〉と思われていたことが後年、雑誌記事で暴露されてしまった（※『文芸』「座談会　谷崎文学の神髄」／同前）。

文壇デビューしたあとも、かの子は谷崎にアプローチを試みたことがあったが、それでも谷崎は彼女からの自作の推薦依頼を読みもせずに断り、完全無視を決めこんでいた。

作家たちから罵倒される

谷崎は〈（※かの子は）跡見女学校第一の醜婦という評判〉とか〈普通にしていればいいのに、非常に白粉デコデコでね。（※中略）着物の好みなんかもね、実に悪くて……〉などとも発言している（※同前）。谷崎のほかにも、川端康成はかの子を「厚化粧」と罵り、堀口大學（ほりぐちだいがく）は彼女の外見、ファッションセンスを「仏壇が歩いてくる」と評した。これは、かの子が自身を観音菩薩だと考えており、仏教研究に熱心だったことも加味した言葉だと思われる。

アンチが並み居る一方で、かの子は崇拝者も数多く抱えていた。最大の崇拝者は、彼女の夫の岡本一平で、妻に手を合わせて拝む習慣があったらしい。

しかしハンサムで稼げる夫、一平から愛されて暮らすようになったあとも、かの子はほかにたくさんのボーイフレンドを持ち、それを公言したため、女性作家からは冷たい視線が注がれていた。宮本百合子からは「グロテスク」と直球の罵倒を受けている。

当時の女性作家たちの元締めのような立場にいた円地文子（えんちふみこ）からも大いに嫌われていた。あるとき、かの子は作家として長年活動してきた円地文子の顔を見つめながら、「私も小説など書いていたら器量が悪くなったりしないかしら……」と囁いたらしい。かの子が小説に専心したのは亡くなる前の数年間だけで、それ以外の期間は仏教研究と短歌の創作に傾倒していた。

晩年には〈年々に　わが悲しみは　深くして　いよよ華やぐ　いのちなりけり〉という自作を織り込んだ傑作短編『老妓抄（ろうぎしょう）』を完成させ、高い世評も得られたとき、夫の一平に〈パパ、もう大丈夫。おかげでこれまでになりましたわ、ありがとう〉とお礼を言った（※瀬戸内晴美『かの子撩乱』）。それから1年後、かの子は亡くなってしまった。東京多摩霊園のかの子の墓は、墓石が観音像の形をしている。

文豪こぼれ話

桜の歌を詠みすぎて卒倒

なんでも納得するまで突き詰める、凝り性のかの子は、「中央公論」から桜を詠んだ歌を百首依頼された際は、それを鬼気迫るような集中力で仕上げた。しかし完成直後、上野公園で咲き乱れる桜を見たとたん、吐き気を催して倒れてしまっている。

COLUMN

文豪のこわい話

遠藤周作の豊富すぎる心霊経験

霊感が強すぎる遠藤周作は、世界中で心霊体験をした。若い頃、フランス・ノルマンディー地方のルーアンに留学していたときも、ある日の深夜、部屋の中に、えたいのしれぬ者がいるという謎の恐怖に襲われたという。その後、フランスのリヨンでも、かつて「淫売ホテル」だった建物を改造した学生寮の中で、怪しい足音を聞いてしまった。

遠藤からその話を聞かされた吉行淳之介は、鼻で笑ってとりあってくれなかった。しかし、遠藤が心霊の類を引き寄せる霊媒体質であったことは事実のようで、三浦朱門と旅行しているとき、寝ている遠藤の身体の上に灰色の着物を着た何者かがのしかかっている様子を三浦が目撃している。遠藤自身もそのとき、幽霊に襲われていると感じていたらしい。

幽霊に殺されそうになった菊池寛

菊池寛も霊感が強く、昭和14年（1939年）11月、講演に出かけた先の愛媛県・今治市の「S旅館」において幽霊から絞殺されそうになったことがある。

洋服を着たまま、寝床に本を持って入り、ウトウトしていたところ、やけに胸苦しくて目が覚めた菊池が見たのは、自分の上に20代くらいの男が馬乗りになっている姿だった。しかも、その男から首を絞められている。抵抗すると、男の無精髭が彼の手に触れるリアルな感覚があった。しかし、なぜか男の口から血が流れ出したので、これは幽霊だと理解した菊池は「君はいつから出ているんだ」と聞くと、男の幽霊は「3年前だ」と答えた。そのまま菊池の意識は遠のき、起きると幽霊は消えていた。

「いつから出ている」とはまるで女給に尋ねるような言い回しだが、小林秀雄はこの話を聞いて、自分もいつか幽霊に遭遇したら、同じように聞いてみようとセリフの練習をしていたらしい（※小林秀雄「菊池寛」／三浦・矢原『あの世はあった』）。菊池はなかなかの霊感体質で、北海道でも女の幽霊に襲われたこともあるという。

1889 - 1971

内田百閒（うちだひゃっけん）

借金が快感になってしまった

小説家、随筆家。本名・栄造。岡山県生まれ。筆名の「百閒」は、故郷岡山にある百間川からとったもの。中学時代から「文章世界」などに投稿していた。東京帝国大学在学中に夏目漱石の門下に入り鈴木三重吉らと交流。琴が趣味で、宮城道雄に師事していた。短編集『冥途』、随筆集『百鬼園随筆』、『阿房列車』など。

すさまじい借金術

人呼んで「借金の錬金術師」。もともと実家は裕福な造り酒屋で、祖母に溺愛されて育ったが、のちに倒産。この頃から借金の技術を磨き、借金について記したノートを「錬金帖」と名付けていたという。

内田百閒にはある種のカリスマがあって、彼の頼み事を断ると、相手が罪悪感を抱いてしまうらしい。その能力を悪用した百閒の借金術はすさまじく、自殺2日前の芥川のもとに押しかけ、金を借りることにさえ成功している。

〈金のある人から借りるのは面白くない。貧乏人から借りるのは借金の妙締（みょうてい）である〉（※田村欣実『こだわり百閒の噂ばなし』）と主張する百閒だが、借金にはやめられない魅力があるという。何かを書いて原稿料や印税をふつうに受け取るよりも、出版社に足を運び、〈原稿を書きますからと、おがみ奉って借りる〉ほうがよほど優れた体験になる。なぜなら、借りたほうが金だけでなく「貸してもらえた！」という幸福感まで得られるからだそうだ（※「金融の大道」／田村・前掲書）。

彼と同じ漱石門下で、ドイツ文学者の小宮豊隆によると〈いくら百閒君といえども、借金や貧乏を楽しんでいる訳ではないに違いない〉、〈人一倍苦しい思いをしているようにさえ見える〉が、〈借金や貧乏〉の苦しみをなめつくした〈百閒君は一種不可思議な三昧境に這入って〉しまっている――つまり、金銭で苦労して痛めつけられた結果、借金するという行為そのものに怪しい快感を味わうようになったという、無類のこじらせ方をしていた（※田村・前掲書）。

あまりに借金を愛してしまっている百閒が使った雅号の一つに「百鬼園」があるが、夏目漱石夫人・鏡子の証言によれば、周囲の人々は「ヒャッケン」ではなく「シャッキン」の語呂合わせだろうと考えていたらしい。

文豪こぼれ話

夏目漱石の鼻毛コレクション

百閒はスーツや万年筆など漱石遺愛の品を収集していたが、その中には漱石の鼻毛コレクションがあった。百閒は「漱石遺毛」の中で、「(※漱石がやったものをとっておいているだけであって)私が抜いて集めたわけではない」と弁解している。

たしかに、漱石には原稿に詰まり、創造の苦しみに襲われると、鼻毛を抜いてそれを原稿用紙になすりつけるという癖があった。『吾輩は猫である』でも、漱石自身をモデルにした小説家・苦沙弥先生が鼻毛を引き抜き、原稿用紙に並べて貼り付けたり、金髪や白髪など珍しい鼻毛が抜けると妻にそれを見せびらかすシーンが出てくるので、百閒の言葉にウソはなさそうだ。

百閒は漱石の書き損じ原稿を勉強のためにもらってきていて、本当に鼻毛が原稿用紙にこびりついているのを見て感動したらしい。漱石を尊敬してやまない百閒にとって、鼻毛の存在は漱石の創造行為の尊さを象徴するものだったようだが……。なかなか余人には理解できない価値観と趣味である。ちなみに百閒自慢の漱石鼻毛コレクションは、太平洋戦争中の空襲で灰になってしまった。

室生犀星(むろうさいせい)

1889 - 1962

ベストセラーを生んだ容貌コンプレックス

詩人、小説家。本名・照道。石川県で、旧加賀藩士の父と女中との間に生まれ、住職・室生真乗の養子となる。不幸な幼年時代の影は、生活と創作活動に長く影響した。1919年以降、創作のメインジャンルを詩から小説に変更。詩集に『愛の詩集』、小説に『性に眼覚める頃』『杏っ子』『蜜のあはれ』など。

『随筆 女ひと』の卑屈な独白

彼はリリカルな作風の詩歌と小説で知られたが、「自分は醜い」という容貌コンプレックスに悩まされていた。婚外子として貧家に生まれたこと、詩人という職業が世間的にはあいまいなものであることなど、社会的成功を遂げたあとも解消されないコンプレックスは数多くあった。

そんな犀星の「私はコンプレックスの塊だ」という独白で満ち溢れた『随筆　女ひと』は、戦後、ベストセラーになってしまった。

かつて犀星は〈二、三人の少女達〉に好意を抱いたが、彼女たちからは愛されなかった。その理由として、〈私の顔というものがほかの男性にくらべて、ちっとも、きれいさのなかったため好かなかったのであろう〉などと書いている。〈（※自分の）声はとげとげしていたし肩は怒ってごつごつしていて、家が貧乏だったから身なりもつくろう暇もない〉、〈頬骨は隆く眼はチャリンコのごとく鋭く、口もとも血色もまた良くない〉といった記述もある。

また、日本では亡くなると、顔に白い布をかぶせられるものだが、これでせっかく自分の醜い顔を隠せたというのに、弔問客が来るたび、布をめくられ、顔を一方的に見つめられるなんて耐えきれない、そんなことをされたら噛みついてやりたい！　とさえ感じていたらしい。

容姿に自信がないと、性格まで暗くなるという。〈縹緻のよい男は女と同様に子供の時からちやほやされているから、性質も闊達爽快であるが凸凹男（※不美男）と来たら幼にして憂鬱の気性を帯び、人前に出てもじもじしていて〉云々。よくもここまで言えたものだと感心させるほどの卑屈芸の使い手である。犀星はこれらの主張を、ほとんど改行のない長大な一段落の中で展開しており、こじらせ感がすさまじい。

たしかに犀星は役者のような美男子ではないかもしれないが、若い頃の写真を見ると、髪型にも凝って、ヒゲを蓄え、微笑んだ顔はなかなかに味があって魅力的に見えるのだが……。晩年に近づくほど、自分をよく見せようという意識が消えてしまったらしく、ヒゲは剃って髪の毛は短く刈ってしまい、カメラを向けられても迷惑そうな顔のままポーズすらとらないことが増え、彼の容貌コンプレックスの深刻さを思い知らされる。

1891 - 1934

直木三十五（なおきさんじゅうご）

浪費がモットーの金欠人生

小説家。本名・植村宗一。大阪市生まれ。文藝春秋で文壇ゴシップ欄を担当し、毒舌で話題を呼んだ。39歳のとき、『南国太平記』が大ヒット。数々の時代小説を執筆し、それまでは教養ある玄人好みのジャンルにすぎなかった歴史文学のエンタメ化に成功。没後、友人の菊池寛が直木三十五賞（通称・直木賞）を設けた。

学費滞納で除籍されたのに通い続ける

直木は、若い頃から筋金入りの浪費家だった。早大英文科予科に入学したはよいものの、実家からの仕送りを学費のぶんまで使い込んでしまい、より学費の安い高等師範部に移ったが破産は免れず、学費滞納で除籍されてしまった。しかし、学生ではなくなったのに英文科に通い続け、級友たちと卒業写真に写った姿を故郷の親に送りつけ安心させようとした。

その後、春秋社、冬夏社などの出版社を立ち上げ、映画ビジネスにも手を出したが、すべて失敗して作家となる。31歳のときに「直木三十一」としてしまったため年齢に合わせて毎年改名することになり、35歳のときにやっとペンネームを「直木三十五」に定めた。

大衆小説を多数執筆し、『南国太平記』で人気作家となったが、「必要なものには金を出さず、ムダなところに大金を注ぎ込むべし」というのが人生哲学で、借金するために仕事をしているようなところがあった。

自宅は2万円の大豪邸で（現在の貨幣価値で1億円程度）、当時、日本にはたった一台しかないと言われた派手なオープンカーを乗り回していた。直木の浪費癖は10歳の娘にも伝染し、娘はハイヤーで遊びに出かけていく小学生に育ってしまった。

直木の屋敷には数多の借金取りがやってきていたが、「完全沈黙する」という撃退法で乗り切った。借金取りから何を言われても、一言もしゃべらないと諦めて帰ってくれるのだそうだ。

1892 - 1927

芥川龍之介

あくたがわりゅうのすけ

「ぼんやりした不安」の正体

小説家。東京生まれ。酪農関係の実業家・新原敏三の長男として生まれたが、母が精神を病み、母の実家・芥川家で育つ。芥川家は旧幕臣の名家だが、経済状態は悪かった。東大在学中に文芸活動を開始、師事した夏目漱石に短編小説『鼻』が認められ文壇デビュー。芸術主義の作品で、都会派のエリート作家としての地位を築いた。

自死に至った状況

芥川龍之介は、「神」と一体化するため、エトナ火山に飛び込んで死んだという伝説がある古代ギリシャの哲学者・エンペドクレスに昔から憧れていた。

久米正雄(くめまさお)に宛てたとされる遺書『或旧友へ送る手記』の最後でもエンペドクレスの伝説について触れられており、〈僕はエムペドクレスの伝を読み、みづから神としたい欲望の如何に古いものかを感じた〉――つまり、芥川自身も死して〈神〉になりたかったと告白している。

そして昭和2年(1927)7月24日、外では大雨が降りしきる中、自宅でベロナールとジェノアルという睡眠薬を過剰摂取して昏睡し、そのまま亡くなった。

かつての芥川は、大正時代の文壇のエースだった。しかし、亡くなるまでの数年間は精神を病んでやせ細り、入浴を嫌うようになったので、全身の皮膚が黒ずんで垢だらけになってしまっていた。二枚目台無しである。岡本かの子は、電車の中で芥川を見つけた息子（のちの岡本太郎）が芥川に「おばけ！」と叫んだことなどを書いて小説家デビューしている（※岡本かの子『鶴は病みき』）。

幽鬼のような風貌になってしまった芥川が、死を選択した理由は本人いわく〈ぼんやりした不安〉（※『或旧友へ送る手記』）で、いまいちはっきりしないのだが、深刻なノイローゼの中でもがいていたのは事実であろう。ぼんやりどころか、はっきりとした不安だらけだったのかもしれない。

秀しげ子という女につきまとわれ、悪質なストーカー行為を働かれたことも大きいのではないか。しげ子は人妻だったが、芥川の大ファンで、一時期は彼の愛人だった。しかし別れたあと、自分が産んだ子の父親は芥川だと主張して認知を迫ったり、芥川邸に何度も押しかけてきた。しげ子の夫から姦通罪で訴えられでもしたら、芥川は社会的に死んだも同然である。

さらに義兄が自殺し、その遺児らの面倒も見なくてはならなくなった時期なのに、芥川の人気は低迷しはじめており、将来への不安が膨らんでいたことも指摘できる。これらのストレスによって、繊細な芥川の精神はめちゃくちゃになってしまった。

そして、とどめを刺したのが、この年の夏の異常な高温かもしれない。まだエアコンもない時代にもかかわらず、36度台の最高気温が連発していたので、心身ともに疲弊していた芥川は文字通り、燃え尽きてしまったのではないか。

文豪こぼれ話

「人間最後になると自分のことしか考えないものだ」

大正12年（1923）、友人たちに〈今年はきつと何か大きな天変地異があるぜ〉（※久米正雄「地異人変記」）と言っていた8日後、本当に関東大震災に被災してしまった。「予言はしたが、本当に来るとは思っていなかった」とは本人の弁だが、当日、恐怖のあまり芥川はひとり家の外に逃げ出した。

あとで妻の文から〈赤ん坊が（※2階で）寝ているのを知っていて、自分ばかり先に逃げるとは、どんな考えですか〉と怒られると、芥川は〈人間最後になると自分のことしか考えないものだ〉と、〈ひっそり〉言い訳したという（※芥川文『追想　芥川龍之介』/関口「芥川龍之介とその時代」）。

公表を目的とした記録の中では芥川本人はあくまで〈母と共に屋外に出づ〉（※「大正十二年九月一日の大震に際して」）、つまり母親を連れて家を脱出した、ひとりで逃げ出したわけではないと主張しているが……。

1892 - 1964

佐藤春夫（さとうはるお）

無期限停学でサボリ癖がつく

詩人、小説家、評論家。和歌山県生まれ。慶應中退。文芸誌『スバル』に詩や評論を発表したのち、1917年『西班牙（スペイン）犬の家』などの作品で耽美主義の小説家として頭角を現す。代表作に小説『田園の憂鬱』、詩集『殉情詩集』などがある。「門弟三千人」と言われ、交友関係が広かった。伝説的な「晴れ男」。

飛び入りで演説して総スカン

和歌山の大病院の跡取り息子として大切に育てられた佐藤春夫は、県立新宮中学校在学中に「明星」などの文芸雑誌に短歌を次々と投稿、入選を果たす早熟の天才だった。しかし、中学5年生の夏季休暇中、与謝野鉄幹や生田長江（いくたちょうこう）などの名士を招待しての「文芸講演会」席上で「偽らざる告白」なる飛び入りの演説を行い、「ニヒリスト」を自称してしまう。

春夫がテーマにしたのは、あくまで政治ではなく文学だった。本人によると、19世紀のロシア社会に大きな影響を与えたツルゲーネフの小説『父と子』の登場人物で、旧来の思想、習慣、文化、芸術などは否定し、自然科学以外の何物も信じようとしないバザロフという男の心情に共感するという内容だったらしい（※「恋、野心、芸術」）。

しかし、地元のえらいさんたちからは総スカンを食らってしまった。佐藤青年の意気込みは感じるが、しょせんは〈不健全なる思想〉というような評価で（※成江醒庵「学術演説会に於ける感想」／安藤編『紀州史研究 4』）、無期限停学となる。バザロフという名前は二葉亭四迷の『予が半生の懺悔』にも出てくるが、社会主義に直結するものであり、明治生まれの年配者の前では「名前を呼んではいけない人」だったようだ。この騒動をきっかけに、復学後も中学で起きたストライキ事件や放火事件でまっさきに首謀者ではないかと疑われるなど苦労を重ねることになったし、学校に行けない間に勤勉実直な生活態度を忘れはて、サボリ癖が身に染み付いた。

なんとか中学校を卒業し、上京して第一高等学校を受験するが、試験の途中で棄権してしまった。一緒に受験した堀口大學が理由を尋ねると、「雷がこわかったから」と答えている（※「天下太平三人学生」）。慶應義塾大学予科に入学後は『三田文学』で詩を発表するが、5年8ヶ月在籍して1学年しか進級しなかった。最終的には中退し、谷崎潤一郎の推薦によって文壇デビュー、『田園の憂鬱』などの作品を次々と発表していくことになる。

1894 - 1965

江戸川乱歩（えどがわらんぽ）

仕事が死ぬほど続かなかった

小説家。本名・平井太郎。三重県生まれ。筆名はアメリカの詩人・小説家エドガー・アラン・ポーから。職業を転々としたのち、日本の探偵・推理小説ジャンルの創始者としてさまざまな作品を発表。猟奇性、耽美性が強い『人間椅子』などでもマニアックな人気を獲得。ほかに明智小五郎と小林少年の少年探偵団シリーズなど。

46回の引越し、14回の転職

乱歩は生涯で46回も引越しをしたという。立教大学近くの古い一軒家の土蔵で執筆していたのは有名な話だが、これは乱歩が東京で26番目に転居した家で、家賃90円、現代でいうと22万円くらいの貸家だった（家賃に関しては、1円＝2500円説で換算）。昭和9年（1934）から没年までを過ごしている。

早稲田大学予科時代には政治家を志していたが、衆議院を見学したとき、殴りあう議員たちに幻滅して断念。同大学政経学部卒業後は仕事を転々としていた。内にこもりがちな性格だったのに加え、人嫌いな乱歩にとって、朝から定時まで働くという生活は困難だった。とりわけ朝に起きられない性分もあって、仕事が長続きしないのだ。

作家業を天職とするまで、かれこれ14ほどの職業を転々としたが、造船所の社内報の編集、漫画雑誌の編集、新聞記者、新聞広告部員などのほか、文京区・団子坂で古書店「三人書房」を弟2人と経営したこともあった。チャルメラを吹きながらラーメン屋台を引いてまわったり、高田馬場で下宿「緑館」を開いたり、ポマード工場の支配人にもなった。これらの自営業のほかは、弁護士事務所の手伝いや貿易会社の社員などサラリーマンにもなってみたが、続くわけもなかった。

乱歩にとっては作家が天職だったが、それは休業が比較的かんたんに許される職種だったからのようで、創作活動を行った31年間のうち17年間を休筆していたという。「休載だらけではないか」と元・編集者だった推理作家・横溝正史（よこみぞせいし）から猛批判されたこともある（のちに横溝が謝ってきたので和解した）。谷崎潤一郎の大ファンで、ことあるごとに対談を申し込んだが、美しいものにしか興味がない谷崎からはことごとく無視されている。

ほぼ唯一、まじめに続けられていたのは三味線の稽古だけで、めきめきと腕をあげていった。もともと、ピアノを弾いて小説の構想を練る西洋人の作家がいると聞き、三味線を選んだだけだったのだが……。

文豪こぼれ話

乱歩の最高の思い出

7、8歳の頃から男の子を意識しはじめていた乱歩だが、15歳のときとある同級生の男子と恋仲になった。そして、手を握りあうだけで〈熱がして身体が震えだす〉体験をする。自分から相手の手を求めて握るのではなく、相手から自分の手を握ってもらうほうが嬉しかったらしい。キスすらせず、完全に〈プラトニック〉で〈熱烈〉な恍惚感に酔いしれる乱歩だったが、成長とともに愛は色褪せ、少し疎遠になっているうちに相手の男の子は病気になって、中学を終えないうちに亡くなってしまったという。

しかし、〈僕の一生の恋が、その同性に対してみんな使いつくされてしまったかの観がある〉、〈あの気持ちは、その後だれに対しても、どんな女性に対しても、味わったことがありません〉とまで言うのは、一瞬の愛の喜びと引き換えに、その後の人生が味気なくなったと認めているのと同じではないか（※「乱歩打明け話」）。乱歩は思春期の恋心もこじらせてしまっていたようだ。

1895 - 1975

金子光晴（かねこみつはる）

パリの最下層で夫婦関係をこじらせる

詩人。愛知県生まれ。本名・金子安和、のち保和。早稲田大学高等予科文科、東京美術学校日本画科、慶應義塾大学文学部予科に通うが、すべて中退。戦時中も反戦詩を書き続ける。19世紀末~20世紀初頭のフランス文学の影響を強く受けた詩集『こがね蟲』など。随筆に『詩人』など。晩年は「エロじいさん」として人気を集める。

「婚前契約」で双方の恋愛の自由を認める

大正13年（1924）、金子は東京女子高等師範（現・お茶の水女子大）の女学生だった三千代に熱烈な恋心を抱き、両想いになってすぐに彼女の妊娠が発覚する。二人は「双方の恋愛の自由を認める」という婚前契約を交わして結婚したが、三千代のほうが性には奔放で、母親になってすぐに恋人をつくってしまった。

昭和3年（1928）、金子が上海に3ヶ月ほど滞在してから東京に戻ると三千代は家出しており、無政府主義の社会主義者・土方定一（ひじかたていいち）という東大生と同棲していた。金子は子どもをダシに使って彼女を土方から引き離そうとするが失敗。芸術家の憧れの都・パリに三千代を連れて行く、という条件でなんとか土方と別れてもらえることになる。しかし、出国前の1ヶ月を土方と同棲して過ごすのを認めるという約束だったので、金子は嫉妬に身を焦がしながら旅立ちの日を待つことになった。

東南アジアで春画を売りさばく

昭和3年、ついに金子夫妻はパリに向けて旅立つ。元手になったのは谷崎潤一郎に書いてもらった短冊・色紙20枚という金子の宝物を売りさばいた金だった。しかし、その金で行けるのはせいぜい上海までで、当時、「東洋の魔都」と呼ばれたこの大都市において何らかの手段で金を稼ぎ、パリへ渡航するための資金をつくらねばならなかった。

もっとも金になったのは、春画の製作だった。絵心があった金子が卑猥な絵を描き、それを印刷したものを闇ルートで売りさばくとけっこうな金額になり、上海から香港、香港からシンガポール、シンガポールからフランス・マルセイユ、そしてパリへと旅していくことができた。

しかし、生活費の高いパリでの暮らしは問題だらけだった。詩など書いている余裕はなくなり、金子は「男娼以外」のやれる仕事はすべてやったという。男娼と言っても金持ちの老女の愛人になるアルバイトだったが、三千代が「汚らわしい！」と難色を示したので実現しなかった。

花の都・パリの最下層社会のつらい現実を2年ほど味わいつくし、愛も恋も冷めた夫妻は別々に帰国。あまりに苦しい記憶だったようで、金子は晩年までパリでの生活を作品に反映することがなかった。その後、金子と三千代は3度も離婚と再婚を繰り返す関係となる。

1896 - 1933

宮沢賢治（みやざわけんじ）

性欲と戦い、童貞を熟成させた

ライスカレーを拒み、童貞を守った

詩人、童話作家。岩手県出身。盛岡高等農林学校卒。農業研究家・農業指導者、教育者として活躍するかたわら、独特な感性にもとづく詩や童話を書いた。詩集『春と修羅』、童話に『注文の多い料理店』『風の又三郎』『銀河鉄道の夜』など。クラシック音楽の造詣が深く、多くのレコードを所有していた。

教育に関心が高い宮沢賢治が、農業私塾「羅須地人協会（らすちじんきょうかい）」を設立、自ら教壇にも立っていた頃のこと。賢治は女性教師・高瀬露（たかせつゆ）に布団一式をプレゼントしているが、高瀬が賢治に好意的になると、なぜか態度を翻し、彼女の求愛を拒むようになった。

高瀬には居留守を使い、彼女がつくってくれたライスカレーを彼だけがひとくちも食べようともしなかった。賢治の冷淡な態度に心を深く傷つけられた高瀬は、賢治ご自慢のオルガンの前に走っていき、その鍵盤を激しく叩きつけて怒ったという。

賢治には実の妹のトシや、後輩の保阪嘉内（はさかかない）に禁断の思いを抱いていたという説があるが、むしろ肉体的に結ばれる可能性が低いからこそ、トシや保阪にはベタベタできたと考えられる。つまり賢治は意図的に自分が童貞を失わぬよう、童貞である自分を熟成させながら生きていたのでは

ないだろうか。

性欲と賢治

友人・藤原嘉藤治（かとうじ）に〈性欲の乱費は、君自殺だよ、いい仕事はできないよ〉（※境忠一『評伝 宮沢賢治』）と語っていた賢治だが、床に積み上げたら30センチの高さにもなるほど膨大な春画のコレクションを自宅に溜め込んでおり、その大半が男女の交合図であった。教員時代には学校に持っていって、教師仲間と鑑賞会を開き、生徒たちへの性教育にも用いたという。ほかにも日本語に翻訳されたハヴロック・エリスによる性心理学の大著『性の心理』数十巻を所有しており、日本版では伏せ字にされている部分を読むために原著まで買い揃えていた。

また、親戚・関登久也（せきとくや）の証言によると、ある朝、関が出会った賢治は顔を紅潮させ、ハツラツとしていた。話を聞いてみると、性欲の浪費を「自殺行為」だと考える賢治は、性行為以外の手段で性欲を発散させようと、昨日の夕方から遠隔の外山牧場に歩いて向かい、そこでも一晩中、牧場を歩き通し、たった今、街に戻ってきたところだった。賢治は〈性欲の苦しみはなみたいていではありませんね〉と言って、立ち去ったという（※関登久也「宮沢賢治素描」／同前）。

賢治の生前に刊行された詩集『春と修羅』は高校の教科書でも必ずと言っていいほど紹介される名作だが、中でも気になるのはホタルである。〈蛍〉もしくは〈ほたる〉の表記で、『春と修羅』

に頻出するモチーフだが、点滅しながら夜空を乱れ飛ぶホタル、つまり異性に求愛するためにお腹の火を点しているホタルは、江戸時代の隠語で性行為を意味する「点(とも)す」を実践中のセクシーな存在なのだ。春画や好色文学に詳しい賢治が気づいていないはずがない。そもそも「ホタル」という単語の響きは女性器を指す古語「ホト」にも通じる。

『春と修羅』の「序」は〈わたくしといふ現象は　仮定された有機交流電燈の　ひとつの青い照明です〉と始まり、それが〈せはしく明滅〉すると書かれている。つまり、賢治はこの「序」においても、自身をかなりの性的衝動に駆られた人間であると宣言している……のかもしれない。

文豪こぼれ話

岩波書店に「物々交換」を提案し無視される

大正14年（1925）12月、賢治は東京の大出版社・岩波書店社長の岩波茂雄に手紙を書いた。なんの交流もない岩波に向かって、「自費出版した『春と修羅』の売れ残り200部と、岩波書店が出版した哲学書もしくは心理学の本何冊かと交換してくれ」と頼み込む賢治だったが、不審に思った岩波は手紙を黙殺し、返事は来なかった。知識欲にあふれていたがゆえに、書物がほしかったのか、あるいは屈折した手段ではあるが、知識人憧れの岩波書店に、自身の作品を売り込もうとしていたのか――、賢治の真意は明かされていない。

1897 - 1996

宇野千代

「奔放な女」の苦悩

小説家。山口県生まれ。旧制岩国高等女学校卒。豊富な恋愛遍歴を糧に、恋する男女の心理を描く作品で人気を得た。長寿作家でもあり、最晩年の発言「私何だか死なないような気がするんですよ」が有名。小説『色ざんげ』『おはん』、随筆『生きて行く私』など。独自のファッションセンスを活かし、雑誌「スタイル」を創刊。

心中事件の血痕がついた布団でセックス

宇野は生涯、奔放な性愛を繰り返した。大正15年（1926）に小説家・尾崎士郎と結婚するが、梶井基次郎を挟んですったもんだあった末に離婚（↓P148）。その直後、つまり本人の言葉で言う「軟体生物時代」「乱婚時代」はとくに素行が悪く、睡眠薬を飲んで草むらの中で交わるなど、そこらじゅうで誰彼となく性関係をもった。

宇野千代は男女の業深い関係を、乾いた筆致でさらっとまとめるのがうまい。あるときは、リアルな心中シーンが書きたくなって、心中未遂事件を起こして世間を騒がせた洋画家・東郷青児を取材しに、彼が暮らす品川区大井の家を訪れている。

「恋多き男」として知られる東郷青児には戸籍上の妻・明代と、その間に長男・志馬がいた。しかし、中村修子という愛人女性と結婚披露宴を開き、その1ヶ月半後にはまた違う愛人女性と心中事件まで起こしていたのである。

東郷青児は、攻略難易度こそ低いが関係の維持が至難というタイプの男性だが、お互いに惹かれあうものがあった二人は、出会ったその場で男女の関係となった。組んず解れつしたのは心中事件の血痕がこびりついた布団だったが、宇野はあまりに夢中になってしまって、朝になるまで気づかなかったらしい。

取材成果は、宇野の代表作『色ざんげ』(1933)としてまとめられた。内容はゲスいのだが、改段落がほとんどない構成であるため、純文学志向が非常に強い作品に仕上がっている。

ちなみに『色ざんげ』というタイトルだが、懺悔のシーン、言葉などは最後まで出てこない。東郷と宇野は結婚したが、5年で離婚した。別れるとき、東郷からは〈君は僕から、この作品(※『色ざんげ』)の筋書きを聞くために、僕と一緒にゐたのだね〉(※「それは刃物が導いた」)と恨みのこもった言葉をかけられたというが、そういう意味での『色ざんげ』と言えるかもしれない。

涙の別れを繰り返した

昭和14年(1939)には、小説家の北原武夫と結婚するが、宇野が60代半ばの頃、北原のほうから「若い愛人と一緒になりたい」と別れを切り出してきた。宇野はベッドに寄りかかりながら話を聞いていたが、顔色も変えず、「いいわよ」と軽く答えた。しかし、北原が出ていったのちに号泣したという。

世間では「奔放な女」というイメージが強い宇野だが、毎回のように涙の別れを繰り返すのはなぜか。器用で、根っからのずるい女なのであれば、相手をまるめこんで婚外恋愛でもなんでもやれていたはずだ。実は不器用なところがあったからこそ、次々と男性を替え、奔放に見える生き方をせざるをえなかったのかもしれない、と思われてならない。

1898 - 1993

井伏鱒二（いぶせますじ）

美少年すぎて人生が狂った

小説家。本名・満寿二。広島県生まれ。早稲田大学、日本美術学校ともに中退。実家は地主で、サンショウウオを庭の池で飼っているような屋敷に育ったが、鱒二は積極的に町に出て人々と交わり、庶民感覚を忘れなかった。歴史小説『ジョン万次郎漂流記』で直木賞受賞。代表作に『山椒魚』『黒い雨』。

教授から迫られて早大退学

若かりし頃、鱒二はものすごい美形として知られた。彼と同時期に早稲田大学に通い、のちに小説家となった中山義秀（なかやまぎしゅう）は、〈一年上の井伏鱒二の美少年ぶりを校庭の芝生の上に垣間みた〉ことを記憶しており、遠くからも光り輝いて見えるほど鱒二は美しかったようだ（※中山義秀「花園の思索」）。多くの男たちから横恋慕され、人生を踏み外しかねなかったとさえ言う。早大ではフランス文学を志したが、教授から関係を執拗に迫られている。

〈肩口氏（※＝早大教授）は私の下宿の町名番地をたづねて手帳に書きとめたが、途端に例のその発作を起さうとした。これはたいへんだと私が仰天して逃げ出さうとすると、肩口氏は腕をのばして私の襟首をつかんだ。猛烈な握力であつた〉、〈手紙には今日のことを絶対に他言してはいけないと書いてあつた。そしてもし他言したら君はどんな目にあはされるか知つてゐるだらう。君もそれを知らないほどのばかではあるまい。尚ほ念のため帰りに君の下宿に寄って諒解を求めたい。必ず下宿にゐるようにといふ手紙であった〉（※『自叙伝雞肋集』）という話も本人が綴っている。結果、鱒二は退学に追い込まれ、作家として世に出るまで大いに苦労した。

弟子・太宰治

すでに井伏鱒二が文豪として大成していた頃、上京して東大に通っていた太宰治から手紙が届いた。内容は面会希望だったが、返事を出しそびれていると、太宰が「もしも会ってくれないと死んでしまう」と言うので、急いで会った。その後、失態だらけの太宰治の面倒を見続けることになる鱒二だが、二人の関係性は出会った瞬間に構築されていたらしい。

昭和11年（1936）秋、鎮痛剤の依存症をこじらせていた太宰は、鱒二の強い勧めもあって、東京武蔵野病院・精神病棟での入院治療を決意した。しかし、太宰の中毒症状は激しく、「自分は井伏先生に騙されてここにいる」などと罵詈雑言を口にするので、太宰の妻でさえ面会謝絶になってしまった。このときの太宰の様子を聞いて、親身に心配する鱒二が佐藤春夫に送った手紙が近年、発見されている。

困った師匠に振り回される青春時代を過ごしたはずの井伏が、太宰にとっては最良の師であり、父親のような存在だったのはどこか不思議な気がする。あるいは困った師匠にあたりすぎたせいで、年下の太宰のやることなど可愛く見えてしまったのかもしれない。

文豪こぼれ話

「おなら」で太宰治と激論

太宰治と井伏鱒二は山梨県の三ツ峠山に一緒に登山したことがある。頂上から富士山を眺めるためだったが、その日は深い霧で、〈いっこうに眺望がきかない。何も見えない〉（※太宰治「富嶽百景」）。すると太宰が見ている前で〈井伏氏は、濃い霧の底、岩に腰をおろし、ゆっくり煙草を吸いながら、放屁なされた。いかにも、つまらなさうであつた〉（※前掲書）。

あまりのシュールさに吹き出さずにはいられないが、あるとき、『富嶽百景』を読んでしまった井伏鱒二の愛読者が「井伏先生がおならなどするはずがない。太宰氏に抗議して、即刻取り消しを願われたい」という要旨の手紙を送ってきた。

鱒二はさっそく太宰に「私はおならなどしていなかった」と伝えると、太宰は引き下がらず、はっきりと音が聞こえたし、山小屋の番人の爺さんも笑っていたと言って、〈たしかに、放屁なさいました（※中略）いや、一つだけでなくて、二つなさいました〉と否定したので、ちょっとした激論になったことを鱒二は『亡友 ——鎌滝のころ——』という随筆にまとめている。さすが琴瑟相和（きんしつそうわ）の師弟関係で、どんなことでもお互いの文学のコヤシにできているところがたくましくてよい。

1898 - 1947

横光利一（よこみつりいち）

坂口安吾も呆れた寡欲

小説家。本名・利一（としかず）。福島県生まれ。早大除籍。菊池寛に師事し、1923年『文藝春秋』に参加、『蝿』『日輪』で小説家デビュー。のちに川端康成らと文芸雑誌『文芸時代』を創刊、新感覚派の中心人物として活動する。評論『純粋小説論』が大きな反響を呼んだ。小説『機械』など。

少食すぎて栄養失調になった

横光は、食に対する興味関心がゼロに近かった。食いしん坊すぎる谷崎潤一郎と足して、2で割ったくらいがちょうどよかったかもしれない。「横光は日に一度か二度しか飯を食わんそうだ」という噂があったが、実際は一食もとらない日がしばしばあった。体調を崩して医者から栄養失調と診断されると、なぜかバターを茶碗に山盛りにして食べている。川端康成によると、菊池寛のおごりで牛鍋を食べたが、横光だけは〈山海の珍味ともいふべき牛鍋を目の前にしながら、文學談に熱中して箸をとらない〉（※中山義秀「花園の思索」）。

服装にも無頓着で、文藝春秋社主宰の野球大会には、菊池寛が買い与えたモーニング（昼用の礼服）で参加。欲望まみれの文士が多い中、坂口安吾は寡欲すぎる横光に〈糞マジメで凡そ誠実に生き、かりそめにも遊んでいないような生活態度に見受けられる〉と呆れてみせた（※坂口安吾「デカダン文学論」）。

1899 - 1972

川端康成（かわばたやすなり）

小説家。大阪生まれ。東大卒。孤児だった時代に独特の眼力を養い、「非情の眼」の持ち主と呼ばれた。戦前は横光利一らと「新感覚派」の巨匠として活動、戦後は「末期の眼」に映る日本の叙情美に、独特の諦観や変態要素をスパイスとして混ぜ込む作風に転じ、国内外に読者を得た。１９６８年、ノーベル文学賞を受賞。

ゴーストライター使用疑惑

三島を追って自死した理由

川端康成は、彼のことを師と慕っていた三島由紀夫と親しく付き合っていた。「楯（たて）の会」での活動の末、三島が昭和45年（１９７０）に自死したことを振り返り、「自分も楯の会に入って、市ヶ谷の自衛隊にも三島君についていけばよかった」（要旨）とも悔やんでいる。そして三島の自死から2年後、自室でガス管を咥えた状態で亡くなっているのが発見された。

川端がなぜ三島の後を追わねばならなかったのかについては、書けなくなってきた文豪・川端にとって、有能なゴーストライターだった三島を失うことは作家としての「死」にほかならず、追い込まれた末の自殺だった……という物騒な説が囁かれた。

たしかに川端はノーベル文学賞を受賞した際、「三島君のおかげ」という不可解なコメントを出している。実際、『眠れる美女』や『古都』などの戦後の川端を代表する作品は、川端が深刻な睡眠薬中毒だった時代に書かれており、本当は三島由紀夫の代筆だったのではないかという噂が根強い。

また、三島は昭和21年（1946）に自作を携えて川端の鎌倉の家を訪ねて以来、川端を師と呼んできたが、後年になればなるほど、三島は周囲に〈あの人（※川端）はもうだめだ。作家とはいえない〉と苦言していたという（※板坂剛『極説　三島由紀夫　切腹とフラメンコ』）。これは川端が三島や、北条誠、澤野久雄といった弟子の作家たちに、ゴーストライターをさせている現実を憂えた発言だと解釈されてきた。

AIが見抜いた川端の文体

近年、各種AIを用いた文体分析が行われた。『古都』に関しては、北条誠の文体要素「も」入っているという調査結果だったが、『眠れる美女』、『山の音』に関しては、少なくとも三島由紀夫の代筆ではない、という結論が出ている（※孫昊「川端康成の代筆問題及び文体問題に関する計量的研究」）。しかし、執筆作業は、頭の中のイメージを文字に書き起こすとき、つまり0から1に変えるときがもっとも困難を伴うものなのだが、『古都』の結果を見るかぎり、体調不良の川端のアイデアを弟子たちが文字に起こし、川端が手直ししたものが「完成作」だとされていた可能性は強まった気がする。

これは19世紀フランスの文豪アレクサンドル・デュマ（↓P207）が、その代表作『三銃士』などでも用いた手法であり、そうやってデュマは凡作を名作に変えているため、誰が最終的に手を入れたかで、文学作品の優劣は大きく変わってくると言っていい。筆者がある編集者から聞いた話だが、晩年の川端自身も小説では食えなかった若かりし頃、菊池寛の代筆をしていたことを周囲に漏らしていたというし、昭和期の文壇において、大家になったあとにこの「悪習」に染まらなかったのは三島由紀夫など、ごく一部にすぎなかったともいう。

昭和31年（1956）、三島は〈川端さんがついに文体を持たぬ小説家であるというのは、私の意見である〉（※「永遠の旅人——川端康成氏の人と作品」）と発言しているが、実際はどんなにひどい薬物中毒の時期でも、川端には確固たる文体があったと、人間の眼はともかく、ＡＩの「非情の眼」が見抜いているのは興味深い。

1900 - 1977

稲垣足穂（いながきたるほ）

独特すぎる生活態度

小説家。大阪生まれ。兵庫県明石で飛行機、機械類や絵画に強い関心を示す少年時代を過ごし、関西学院普通部を卒業後に上京。佐藤春夫に師事し、短編集『一千一秒物語』を刊行した。江戸川乱歩と交友し、同性愛について語りあっている。随筆『A感覚とV感覚』『少年愛の美学』など。

ネコで身体を拭く

著作からなんとなく細面の美青年のイメージがあるが、実物はフンドシマニアのおっさんで、生活態度もかなり独特だった。

昭和初期、京都に暮らしていた足穂は、酒代に困り、大事な布団をはした金で売り飛ばしてしまった。底冷えする古都の冬を布団なしの畳の上で寝て過ごしていると身体中がひび割れだらけになり、腰骨のあたりの皮膚もザラザラで「これで大根おろしができる」「鉛筆もとげる」と自嘲していた。しかも、その生活をなんと10年以上も続けたという。タオルもないので、飼っているネコで身体を拭いて、濡れたネコは絞ってまた使った。

すでにパンツが男性下着として一般的になっていた時代だったが、あくまでフンドシにこだわった。足穂によると、フンドシは夏は汗拭きにもなるし、冬はマフラーにもなる。食後にはナフキンがわりにもなって便利この上ないのだそうだ。

そんな暮らしをしていた足穂だが、69歳のとき、エッセイ『少年愛の美学』が三島由紀夫（→P181）の賛辞によって評判になり、第1回日本文学大賞を受賞。

三島は足穂を〈男性の秘密を知っているただ一人の作家〉として敬愛し、自決の年、〈僕はこれからの人生でなにか愚行を演ずるかもしれない。（※中略）日本じゅうが笑った場合に、たった一人わかってくれる人が稲垣さん〉とまで語っている（※「タルホの世界」）。こうしてみると、いかに三島由紀夫という人物が、目上から可愛がられる才能に富んでいたのかもよくわかる気がする。

1901 - 1932

梶井基次郎（かじいもとじろう）

こじらせ童貞

小説家。大阪市生まれ。東大中退。同人誌『青空』に掲載した『檸檬』で、その繊細な感受性に一部から注目が集まる。翌年から肺結核の療養目的で、伊豆の湯ヶ島温泉に滞在するが、病に勝てず、大阪へ帰郷。同地で療養中に死去した。代表作に『城のある町にて』『のんきな患者』など。早すぎた死後、評価が高まった。

「おれに童貞を捨てさせろ」と叫ぶ

旧制中学時代から肺を病んでいた梶井基次郎だが、のちにロレンスの『チャタレー夫人の恋人』の翻訳で有名になる伊藤整は、20代後半の梶井と初対面したときの印象を〈色の真っ黒な（日光浴のせいらしい）、目が細く長い、顔が岩のように大きく荒々しい、ハトムネな位胸の張った二八九歳の男〉と記している（※伊藤整「文学的青春伝」）。日焼けしているのは、それが肺病のためによいと彼が信じていたからだそうだが、鋭敏な感性を披露している『檸檬（れもん）』などの作品から想像されるのとは違う外見をしていた。

酒を飲むと態度が大きくなり、梶井の学友だった中谷孝雄（なかたにたかお）の回想によると、京都の祇園・八坂神社の石段下で寝転がったまま動こうとしない梶井が〈おれに童貞を捨てさせろ！〉と言ってきかないので、友人たちが遊郭まで連れて行った。このとき、梶井は童貞を失ったが、後々まで〈純粋なものが分らなくなった〉、〈堕落した〉と、お前たちがオレを遊郭なんかに連れて行ったせいで……といった恨みがましい態度をとり続けた（※中谷孝雄『梶井基次郎』）。

生涯一度の恋の相手・宇野千代

梶井基次郎の、生涯一度と言われる恋の相手は宇野千代（↓P135）だった。百戦錬磨の宇野とは、相手選びを間違えているとしか言いようがない。

当時、宇野（30歳）は尾崎士郎（29歳）という小説家の妻で、梶井（26歳）と尾崎は宇野が見ている前で取っ組み合いのケンカまでした。宇野は尾崎を止めようとすがりついたが、尾崎は「貴様におれをとめる資格はあるのか！」と言って女の肩を突き飛ばした……などと書くと、梶井の檸檬も宇野千代にもてあそばれてしまったのかと思う読者もいるだろう。しかし宇野によると、〈私は面くいでしょ。あの人（※＝梶井）は男の中の一番面くわずなの（笑）。だから私は惚れるはずはないのよ〉（※対談　瀬戸内寂聴「おとことと文学と」）。

ただ、宇野の泊まっている宿屋の部屋に屋根伝いに侵入する梶井の姿を見た者もおり、梶井から来た大量の手紙はすべて燃やしたという宇野の発言からは、何か、秘密があるような気もする。

森茉莉（もり まり）

1903 - 1987

貧乏アパートで暮らした「精神的貴族」

小説家、随筆家。東京生まれ。森鷗外の長女。旧制仏英和高等女学校卒業。与謝野鉄幹・晶子夫妻が主宰する文芸誌『冬柏』に随筆などを発表していたが、本格的な職業作家デビューは戦後、50代以降のこと。「精神的貴族」を自称する耽美主義的スタイルでマニアックな人気を得る。小説『甘い蜜の部屋』、随筆『贅沢貧乏』など。

森茉莉は昭和26年（1951）、世田谷区・代田の貧乏アパート「倉運荘（そううんそう）」に引っ越している。48歳のときの彼女はすでに2回の結婚生活に失敗し、生活のために母親から譲り受けたダイヤモンドの指輪を売り払うなど、経済状況がよくなかった。それまで暮らした東京・山の手のお屋敷街はもちろん、森茉莉が都会と賛美する浅草などの繁華街にも部屋が借りられず、極端な土地高騰にはまだ見舞われていない世田谷・代田の片隅での暮らしをスタートさせたようだ。

『枯葉の寝床』舞台化トラブル

50代になってから、生活の糧を稼ぐためにエッセイストとして文筆活動を開始すると、森茉莉は当時の文芸誌「新潮」の編集長の発案で小説の執筆を依頼される。記念すべき小説家デビュー作として、少年愛小説——つまり従来の男性著者による男色小説ではなく、女性作家によるＢＬ

文学の先駆けと言える『恋人たちの森』を昭和36年（1961）に執筆。その後、『日曜日には僕はいかない』（1961）、『枯葉の寝床』（1962）などを次々と生み出していく。

昭和53年（1978）には『枯葉の寝床』が、美輪明宏（みわあきひろ）の演出で、渋谷西武劇場において舞台化されている。しかし、主人公の美少年・レオが、パトロンの年長者・ギランに与えられた財布を突き返してしまうという原作小説にはない場面が差し挟まれていることに原作者・森茉莉は不満を抱く。レオは〈贅沢な暮しや宝石に弱い、卑しいところがある〉少年なのに、あんなシーンをつくって入れるなんて……と、怒りをあらわにした（※『マリアの気紛れ書き』）。

自分の世界観を改変されたことがよほど気に触ったらしく、別のエッセイでも〈彼も何か書くこともあるが、書く人間ではない。それで彼のものを見る目には狂いがある。そこからものが間違ってくる。〉（※「ドッキリチャンネル」連載59）として、美輪が『枯葉の寝床』という作品の本質を理解していなかったと不満を訴えているが、年上の男に養われる側の美少年にもプライドがあることを美輪は訴えたかったのではないかと感じる。その一方で森茉莉は、レオのことは徹底的にふしだらな美少年として描きたかったのだろう。あくまで耽美性を追求したいBL作家と、男性同性愛の当事者との感覚の違いを思い知らされるエピソードではないだろうか。

倉運荘での優雅な生活

さて、昭和57年（1982年）、女優の黒柳徹子とパーティで初対面を果たし、その瞬間に意気投合。黒柳が森茉莉を倉運荘まで送っていくと、「お寄りにならない？」と誘われた。ドアを開け、電気をつけた途端、大きなゴキブリが5〜6匹走り去っていくのが見えたという。二人は一本だけ冷蔵庫に入っていたコーラをシェアして乾杯した。

森茉莉は世田谷区民を「見栄っ張りの田舎者」として罵倒しながらも、倉運荘には建て替え問題が持ち上がるまで23年も暮らし、近所の純喫茶「邪宗門」でコーヒーを飲みながら執筆活動を続けた（※「気違ひマリア」）。

そして昭和58年（1983）、80歳のときにもやはり世田谷区のアパート「経堂フミハウス」に転居している。部屋が汚いので、森茉莉の次男・亨夫婦が毎週のように「掃除させてくれ」と懇願しにきたが、断った。理由は〈私の命（身体の命でなく、こころの命）のため（※中略）小説のためです〉（※やまだ・とおる「ぼくから見た、母茉莉」）。散らかった部屋でないと、創作意欲がわかなかったのかもしれない。

1903 - 1951

林芙美子

愛人を追いかけてパリまで行く

小説家。本名・フミコ。山口県生まれ（異説あり）。婚外子として生まれ、行商の両親と各地を転々とする幼少期を過ごし、尾道市立高等女学校で学んだのち上京。さまざまな職業につきながら、宇野浩二に師事。戦中には従軍作家として中国大陸や南方戦線を取材している。代表作に『放浪記』『浮雲』などがある。

夫の制止もきかず放浪

昭和6年（1931）、林芙美子はスター作家に成り上がった。前年に出版した『放浪記』と『続放浪記』が60万部という大ベストセラーとなったのだ。まだ27歳だった。

『放浪記』には、貧家に婚外子として生まれた林芙美子が、大正11年（1922）に恋する岡野軍一を追いかけて上京したあと、さまざまな職業と男たちの間を転々とする自伝的要素が色濃く反映されていた。この頃から林が好きになる男は、さわやかな二枚目ばかりだった。

『放浪記』の成功で大金を手にした林は、夫の手塚緑敏に「創作意欲の刺激を求めてパリに行く」と宣言し、反対も聞かずに旅立ってしまった。売れたからといって、一年の大半を旅して過ごす林の放浪癖が改まるわけもないが、林がパリ行きを決めた理由には、意中の洋画家・外山五郎を追いかけたいという欲望が隠されていた。

夫が妻のわがままをよく許したと感じるだろうが、売れない洋画家（志望者）にすぎない緑敏は林の稼ぎに依存しており、彼女の奔放な男性関係も受け入れるより選択肢がなかったのだろう。

緑敏は、稼ぐために絶対に仕事を断らない林のスケジュール管理をこなす、敏腕マネージャーでもあった。その夫から「パリに行けば破局する」と心配されたとおり、林は外山から手痛くフラれてしまい、今度は緑敏にべたべたと甘える手紙を送った。夫は自分を拒絶できないとよく知っていたのだ。〈君にあいたい事非常なもんだ（※中略）私がいかにケンコウに、いかにセイケツな生活しているかを写真でおめにかける。帰へったら、首ッ玉へかじりついてやろう〉、〈私も十一月出たきり、リョクさん（※緑敏の愛称）が恋しい（※中略）私の可愛いくちびるをおくります〉（※『巴里の恋』）。なかなかに困ったビッチであった。

文豪こぼれ話

こだわりの豪邸

『放浪記』のヒット後、芙美子は新宿区有数の高級住宅地・中井に建築家・山口文象に設計依頼して豪邸を築いた。放浪癖がある一方、凝り性でもある芙美子は200冊もの本を読み、家づくりを研究したという。この豪邸は現在、林芙美子記念館として一般公開されている。

1904 - 1953

堀辰雄（ほりたつお）

上流階級に憧れた下町育ち

小説家。東京生まれ。東大卒。高校時代から芥川龍之介に師事。コクトーやラディゲ、プルーストなどフランス文学に親しんだ。折口信夫を介して日本の王朝文学にも接近、独自の死生観を深める。婚約者の死の経験から生まれた『菜穂子』、『美しい村』『風立ちぬ』など。ジブリ映画『風立ちぬ』主人公のモデルのひとり。

34歳まで義理の父親だと気がつかなかった

堀辰雄の本当の父親は、明治維新後に地元・広島から上京し、東京地方裁判所の監督書記を務めていた官吏で、広島には本妻がいたが、子どもが一人もいなかった。堀の母親はそんな人物の東京の現地妻だったので、本妻が上京予定と聞くと、自分が産んだ当時2歳の息子（のちの堀辰雄）を奪われることを恐れて逃走し、向島の彫金師と子連れで再婚。しかし、堀はずっとその彫金師を実父だと思いこんでいた。

養父は下町・向島の彫金師、父違いの弟は落語家、姉妹は芸者や茶屋勤めという古きよき江戸情緒どっぷりの環境の中で育つことになるが、堀だけがヨーロッパの文化に憧れ、上流階級が集う高級避暑地・軽井沢を目指すようになってしまった。

出生の秘密にまるで気づかぬまま堀は東大に進学したが、「将来の出世のためには一流の人たちと交流せねばならない」と理屈をつけ、裕福とは言えない父から大金をせびり、夏が来るたび軽井沢に滞在するようになる。

上流階級の人々と分不相応な暮らしを楽しんだ堀だが、これは明治時代に一流のお屋敷街と言われた町・平河町に大富豪にまじって邸宅を構えた父の価値観を、無意識に引き継いでしまっていたのかもしれない。

堀が34歳のとき、養父が亡くなった。ここで初めて真実を聞かされた堀は、衝撃を受けたという。繊細な作風で知られる堀だが、驚くほど鈍感な部分もあったのだ。

1906 - 1955

坂口安吾

睡眠薬中毒で奇行連発

小説家。新潟市生まれ。本名・炳五。炳五の「炳」は明るく輝くという意味の漢字だが、クラスメートから「お前なんて暗五がお似合いだ」と言われたこの出来事をずっと覚えていて、後年ペンネームにしたというが、さすがに「暗」を「安」の字に変えている。『堕落論』『白痴』など。戦後日本を代表する無頼派文学者。

カレーライス事件、人肉焼肉事件

小学校の頃から着物をズタボロにして暴れまわっていた坂口安吾は、中学に上がると早くも酒の味を覚え不良仲間と宴会を繰り返し、落第も繰り返し、ついに退学せざるをえなくなった。退学するとき、自分の机の蓋の裏に、〈余は偉大なる落伍者となっていつの日か歴史の中によみがえるであろう〉と「予言」を刻み込んだ。後年、この「予言」を記した『堕落論』がヒット。『堕落論』によって一躍、人気評論家となった坂口だが、友人の太宰治が自殺した頃から睡眠薬を大量服用し、中毒に苦しむようになる。精神も常に不安定になり、さまざまな事件を起こした。練馬・石神井町の檀一雄の家に、坂口夫妻が居候させてもらっていた際は、近所の料理屋にカレーを１００人前注文した。伝説の「カレーライス事件」だが、実際は30人前しか来なかったらしい。しかし、次から次へと運ばれてくるカレーライスを庭に並べあぐらをかいた坂口が無言でもりもりと食べ始めたのに触発された坂口の妻や檀一雄夫妻、そしてそこに居合わせた編集者までもがひたすらにカレーライスを貪り食うことになった。

非常にシュールな情景だが、注文も、薬でもうろうとしているときにしてしまったらしい。ほかには2階から飛び降りるなどの奇行も目立った。

浅草にある「染太郎」という、老舗のお好み焼き屋で起きた「人肉焼肉事件」も有名である。昭和29年（1954）11月4日、坂口は何を考えたのか、熱したお好み焼き用の鉄板に両手のひらをベタッとつけて、ジュッと肉が焼ける音が周囲にまで聞こえた。これを見た女将はすぐさま冷蔵庫から氷の塊を取り出し、坂口の手のひらに押しつけ「この人は物書きだから大事な手」と言いながら手当してくれた。その後、安吾が子どものような字で、女将への感謝の気持ちをしたためた色紙が今も店には飾られている。〈テッパンに手を／つきてヤケドせ／ざりき男もあり〉とあるので、大きな事故にはならなかったようだ。

坂口はこのとき泥酔していたという。例によって睡眠薬とアルコールのコンボによって、もうろうとしていたのか、トイレに行こうとテーブルに手をついて立ち上がったつもりが、熱した鉄板に触れてしまったということらしい。

1907 - 1937

中原中也

放蕩無頼のダメ人間

詩人。山口県生まれ。一種の破壊主義と言えるダダイスムの影響を受けたあと、19世紀末のフランス象徴主義の詩歌を学ぶ。無頼と哀傷の日々を「汚れつちまった悲しみに」など独特のリズムの詩に昇華した。1934年、詩集『山羊の歌』刊行。1937年に早逝、小林秀雄に託した第2詩集『在りし日の歌』が翌年刊行された。

虚言癖と酒癖

中原中也は山口市湯田温泉に生まれ、生後まもなく父の任地である中国の旅順・柳樹屯で暮らすことになった。その後、父の転勤に伴ってたびたび転居している。

本名でもある「中也」という名前は「森鷗外先生につけてもらった」と本人は語っていたが、まっかなウソで、父が軍医になろうと医学校に通っていたとき校長が森鷗外だったというだけの話である。母のフクは、旅順時代に父の上官だった軍医大佐・中村六也の名前が由来と証言している。

中原は神童で、小学生の頃にはすでに短歌を詠み始め、文学に熱中しすぎて中学を落第。京都の立命館中学に編入するが、高橋新吉のデビュー詩集『ダダイスト新吉の詩』に魅了されてダダイスト風の詩をつくりはじめた。

上京すると作家仲間との交友も深まるが、酒癖が悪く破天荒な中原はあちこちでトラブルを起こしている。文芸評論家・青山二郎の義弟がバーを開店すると、店に通いつめ、客にケンカを売って暴れまくった。そのせいでバーはわずか1年で閉店した。

太宰治のことを「青鯖が空に浮かんだような顔をしやがって」と罵倒し、真夜中に「ばーか、ばーか」と叫びながら、太宰の自宅に突撃し続けた時期もある。檀一雄らとケンカした際は、詩人の草野心平に助けてもらっている（しかし中原は草野を「くだらぬ詩人」と評価し続けた）。

なお、本物の武闘派の不良であり大柄な坂口安吾にだけは、身長151センチくらいだった中原はどんなに泥酔しても1メートル以内には近づこうとしなかったので、周囲から笑われていた。また、母親が見ている前では、いくら飲んでも無言でおとなしいままだったという。

「毎日会社に行きたくない」と入社辞退

1933年、26歳のときに中原は結婚するが、妻帯してからも定職にはつかなかった。周囲に勧められてNHKの就職面接を受けるが、中原が面接会場に持ってきた履歴書の備考欄には「詩生活」としか書かれておらず、面接官から「これでは面接にならない」と言われてしまった。そのとき、中原は「それ以外の履歴が私にとって何か意味があるのですか？」と返した。

さらにひどい後日譚がある。驚いたことに、中原のもとにはNHKの文芸部長から採用通知が届いた。しかし、中原は「毎日会社に行くのはいやだな」などという理由で入社辞退したのだ。

中原は結局、生涯を通じて一度もまともに働くことがなく、元・大病院経営者夫人、ただしその後は無収入だった母親の仕送りで生活した。30歳で亡くなったが、死の床で母親に向かって「母さん、僕は実は孝行息子だったんですよ、今に分かります」と発言している。

文豪こぼれ話

小林秀雄に恋人を奪われた

大正13年（1924）4月、17歳だった中原は、3歳年上の女優・長谷川泰子との同棲を始めるが、子ども扱いされていたので、疑似姉弟という形式での同居だった。男女の関係になることはないまま、中原が自分の詩の理解者だと思っていた小林秀雄に長谷川を奪われる。深く傷ついた中原は、母親にも〈女は小林秀雄さんのところへいったんですよ〉、〈ぼくが荷物をこしらせて、車（＝リアカー）にのせてやったんですよ〉と、未練がましく語った（※中原フク『私の上に降る雪は　わが子中原中也を語る』）。

1909 - 1942

中島敦（なかじまあつし）

虎よりもケダモノな女ぐせ

小説家。東京生まれ。東大卒。漢学の素養が高かった。祖父は漢学者・中島撫山、父は中学の漢文教師。1933年、横浜高等女学校の教師となるかたわらで創作に励む。1942年、『山月記』でデビューし、自作『光と風と夢』も好評だったが、その年の12月、持病の喘息で死去。『李陵』などは死後、遺作として公開された。

女子生徒に手を出しまくる

『山月記』で虎になってしまう主人公・李徴（りちょう）は「妻子よりも、詩業を先ず頼むような男だから獣に身を堕とす」と自嘲したが、中島本人もかなりのケダモノであった。

横浜高等女学校の教師をしていた頃の中島は、学生たちからはアイドル視され、教卓にバラの花を飾ってもらうなどして慕われていたが、裏では複数の女子生徒に手を出していた。妻・たかの証言によると、小宮山静という裕福な家庭の娘とはとくにねんごろで、中島は妻子がいる身でありながら、小宮山家が所有する御殿場の別荘で静にかしずかれ、水入らずの1ヶ月を過ごしたことまであったという。

しかも、中島の妻・たかによると、〈（※静のいる）御殿場から帰った時は、十日間ほど口をきいてくれませんでした〉。また、中島は重病で入院していたとき、看病している家族の前で、うなされながら「シズ、シズ」と愛人・静の名前を呼んだ。

10年ほど関係は続いたようだが、中島が死んだとき静は葬式に来てくれなかった。ほかにも特別な関係の女性は多く、妻からは〈私も子供さえいなければ別れたいと思ったこともあります〉とまで言われている（※田鍋幸信編『中島敦・光と影』）。妻了そっちのけで、婚外恋愛に興じる中島の生活態度に、腹に据えかねる部分が多かったのだろう。スーツに丸メガネのいかにも生真面目そうな肖像写真とは裏腹に、中島は欲望のままに生きる虎のような男だったのだ。

1909 - 1948

太宰治（だざいおさむ）

芥川龍之介が好きすぎた

小説家。本名・津島修治。青森県生まれ。東大中退。裕福な大地主の家に生まれ育つが、マルクス主義の非合法活動に走った。『道化の華』、芥川賞次席の『逆行』で作家としての地位を築いたあと、師匠・井伏鱒二の支えもあって精神が安定したように見えたが、1948年に愛人と心中。代表作に『斜陽』『人間失格』など。

芥川賞がほしすぎて川端康成に殺人予告

昭和10年（1935）、太宰治の『逆行』が第1回芥川賞の候補作となった。思春期から芥川龍之介その人と文学に憧れてやまない太宰は、日頃の希死念慮も忘れはてて大喜び。ノミネートされた時点で自作を推薦してくれた佐藤春夫に大げさに感謝していたが、蓋を開けてみると受賞作は石川達三の『蒼氓（そうぼう）』だった。

太宰の受賞に反対したのはどうやら川端康成で、「文藝春秋」に掲載された講評でも〈私見によれば、作者（＝太宰治）目下の生活に厭な雲ありて、才能の素直に発せざる憾（うら）みあった〉と述べていた。これは「太宰には才能があるが、よろしくない私生活の結果、才能を十分に発揮できていない」といった意味で、決して太宰が主張したような人格否定発言ではない。

しかし、あくまで自作のクオリティではなく、人格否定で落とされたと思いたい太宰は『川端康成へ』と題した反論を発表し、〈小鳥を飼い、舞踏を見るのがそんなに立派な生活なのか〉と川端の趣味嗜好を否定したあとに〈刺す。〉とまで宣言した。現在なら警察沙汰だが、川端は完全に無視した。

感情の起伏がいそがしい太宰は川端だけでなく、佐藤のことも逆恨みしたり、あるときは発作的に〈第二回の芥川賞は、私に下さいまするよう、伏して懇願申しあげます〉という4メートルもの長さに及ぶ手紙を書きあげ、送りつける奇行に走った（※1936年1月28日付）。

当時の芥川賞の選考基準は厳しく、一度でもノミネートされた作家の作品は、その後二度と芥川賞の候補にはなれなかった。諦めきれぬ太宰は佐藤に〈私を見殺しにしないでください〉と訴え、〈家のない雀　治〉を自称した1メートルの手紙（※同年2月5日付）を送るなどして何度も頼み込んだ。

太宰の中では敬愛する芥川龍之介の名前を冠した賞をとることは、心身ともに芥川と一体になれるような意味を帯びていたのだろうが、常人に太宰の異様な情熱は伝わらないままだった。

芥川が好きすぎてノートに「芥川」と書きまくる

太宰は芥川龍之介がとにかく好きで、高校も芥川の母校である東京の一高を目指していたと言われる。しかし残念ながら学力が足りず、太宰は青森の弘前高校に進学した。

学生時代の太宰は、〈芥川龍之介　芥川龍之介　芥川龍之介〉と芥川の名前を書き連ねたり、「修身」と題したノートにはまだ作家デビューもしていないのにサインの練習をしたり、芥川龍之介の似顔絵とも、芥川に似せた自身の似顔絵とも見える怪しい男のイラストを描いて、文学史上まれに見る思春期の黒歴史を残した。「修身」とは「人が生きるべき道を探る」というような意味につながるので、太宰にとってはこれこそが人生の指針だったのかもしれないが、彼が高校に入学した昭和２年（１９２７）の７月、芥川龍之介は自殺してしまった。

この事件より２ヶ月ほど以前、昭和２年５月21日土曜日の夜、青森で開催された講演会において芥川は夏目漱石の思い出を30分ほど語っていた。太宰と一緒に芥川の講演を聞いた、中村貞次郎によると、憧れの芥川が生きて動いている姿を見た太宰はしばらくの間、興奮状態だったという（※相馬正一「太宰治の芥川体験――実在の日記が語る真実」）。

しかし、その２ヶ月後、芥川の突然の死を知って猛烈なショックを受けてしまう。太宰はこのとき、「文士たるもの自殺して当然」という妙な価値観を心に刻んでしまったのかもしれない。昭和23年（１９４８）６月13日、太宰は山崎富栄と玉川上水に入水自殺を遂げた。

文豪こぼれ話

太宰の歯と晩年思想

歯磨きをまじめにせず、歯医者が大の苦手の太宰は虫歯を長年放置しており、彼の歯茎から生えているのは黒く尖った「小さい三角形の歯の残片」だけだった。妻・津島美知子の強い勧めで重い腰を上げて歯科医を受診したが、32歳の頃には、ほぼ総入れ歯になってしまった。『逆行』を収録した処女短編集のタイトルは『晩年』だが、よく考えれば、20代後半で「晩年」というタイトルを選ぶセンスも奇妙である。美知子は「歯は齢を意味するそうだから、太宰の『晩年思想』が、あの黒い歯に起因する」と考えていたらしい（※津島美知子『回想の太宰治』）。

文豪こぼれ話

所得税も死因？

自殺については、山崎富栄から「一緒に死んでほしい」とせがまれたからだとする太宰研究家・相馬正一の説が広まったが、真実とは異なるようだ。

複雑な事情を要約すると、その年から開始された確定申告を無視したせいで、太宰には前年度の収入の約半分にもあたる11万7千円もの所得税がふりかかってきていた（当時の1万円はおよそ現在の100万円）。しかし、収入の大半を酒と煙草（とクスリと女）ですでに使い果たしたので、いまさら巨額の所得税など払えないと太宰がメソメソ泣いていたことが、妻の美知子の証言から判明している。

税務署からの督促を恐れ、その対応を妻に放り投げて自宅から逃げ出した太宰が富栄の家で『人間失格』を執筆していると、税務署の職員が追いかけてきて、「税金は安くできない」と言ったらしい。そのとき、太宰は心中すると決心してしまったようだ。

檀一雄（だんかずお）

1912 - 1976

家庭志向と放浪癖の矛盾

小説家。山梨県の生まれ。東大経済学部卒業。戦前は太宰治らと知り合い、佐藤春夫の門弟となる。戦後は自身の従軍体験を描いた『リツ子・その愛』『リツ子・その死』で文壇に復帰。自身の女優との不倫愛を描いた晩年の『火宅の人』は大きな反響を呼び、映画化もされた。長女は女優の檀ふみ、長男はエッセイストの檀太郎。

オフクロの味を断絶

檀一雄が9歳のとき、母・トミが彼と3人の妹を残し、突然、出奔してしまった。トミの回想によると、神経衰弱で癇の強い夫からひどい仕打ちを受けていたので逃げ出したというが、檀はトミが家出した原因は、東大医学部の学生との恋愛だと信じており、そのとき母の中に〈女という燃えたぎる盲目の異形のモノ〉を感じ、それを自分などの力では〈封じ込めることはとうてい出来ないことだと感じ取っていた〉（※『わが青春の秘密』）らしい。

父が料理のできない人だったので、檀少年が毎日の食事をつくることになった。そのときも、記憶に残る〈オフクロの味をよその味と思って〉、つまり出ていった母親の味の再現ではなく、あくまで自分の味を出すことに努めた。これは母の味の記憶を家族から奪っていくことにほかならないが、それが少年時代の檀にとっては、自分たちを捨てた母への復讐だったようだ。のちに料理上手の文豪として知られるまでになった檀は、レシピ集も出版した。

歪んだマザー・コンプレックス

映画化もされた自伝的小説『火宅の人』のように、檀には放浪癖があり、帰巣本能が乏しかった。これについても、「自分の料理を食べているかぎり、どこにいても故郷の家にいるのと同じ感覚だったから」と証言している。

同作において、檀の分身だと見られる作家・桂一雄は戸籍が入った妻と4人の子どもがおり、女優の愛人もいるが、一箇所には定住できずに放浪を続けている。檀は、桂一雄の口を借りて〈七輪をおこし、団扇でバタバタあおいで、自分の食べるものを、自分で酢につけ、塩につけ、さまざまに煮炊きしてみたいのだ〉と言わせ、さらには〈私のまわりにチョロチョロする子供達をよせ集めて、泣くなよしよしの、やけくその声をはりあげてみたい〉などと、泥臭いまでの家庭志向も告白させているが、ここまでいくと、「父親」というよりもはや「オカン」で、料理好きで、キッチンが似合う「イケオジ」の範疇にはとても収まらない。檀一雄は、こうした家庭志向と放浪癖の矛盾を抱えた人物だったと言える。

文豪こぼれ話

檀一雄と太宰治

『小説　太宰治』によれば、檀一雄は希死念慮の塊である太宰治と飲んでいるとき、泥酔にまかせて〈簡便な自殺〉（＝手っ取り早く確実に死ぬ方法）について語りあったあげく、二人でガス心中することにした。途中で目が覚め、怖くなった檀は寝ている太宰を放置してひとりで逃げ出した。翌朝、太宰からは〈ひどいね、君は。通いつめて、一晩だけ泊った芸者に逃げられたような気がしたよ〉となじられた。

一方で、檀一雄は『走れメロス』の主人公・メロスのモデルは太宰自身だという説を唱えている。太宰が熱海の旅館で執筆していたとき、つい飲みすぎて、宿代が支払えなくなってしまった。当時の妻・初代からお使いを頼まれた檀が、金を持っていったところ、やはり高級天ぷら屋などで見境なく浪費してしまい、帰れなくなった。

「菊池寛から借りてくる」という太宰の言葉を信じて帰りを待つ檀のもとに、何日たっても太宰は戻らず、ブチギレた檀が東京に戻って太宰を探しまわったところ、井伏鱒二の家で悠然と将棋を指しているところを発見した。怒る壇に太宰は〈待つ身が辛いかね、待たせる身が辛いかね〉と弱々しい声で反撃したという。

1913 - 1949

田中英光

たなかひでみつ

太宰治の墓前で自害

小説家。東京生まれ。早稲田大学政経学部在学中、ボート選手としてロサンゼルスオリンピックに出場。左翼運動に加わるが、文学に転向し太宰治に師事。上背180センチ近く、当時としては破格の肉体派だった。選手時代の思い出を描いた『オリンポスの果実』が好評を呼んだが、私生活は不安定で、女性、酒、睡眠薬に溺れた。

「太宰の墓に入れてくれ」と遺言で懇願

昭和10年（1935）、田中英光は小説『空吹く風』を同人雑誌『非望』に寄稿した。それを読んだ太宰治から、〈君の小説を読んで、泣いた男がある。かつて、なきことである。君の薄暗い荒れた竹藪の中には、ひとり、カグヤ姫が住んでいる。（※中略）君、その無精髭を剃り給え。〉と手紙が届き、田中は太宰に師事するようになる（※「太宰さんのこと」）。

しかし、昭和23年（1948）に太宰が愛人とともに入水。敬愛する師の自殺に大きな衝撃を受けた田中は、立ち直ることができなかった。

太宰の死の翌年、昭和24年（1949）の「文化の日」こと11月3日の夕方、太宰の墓前で自害している。寺の関係者が苦しんで唸っている田中を見つけたが、容態が悪化して亡くなってしまった。手首のキズは安全カミソリの刃で浅く切っていただけだったのだが、アドルムという睡眠薬300錠と酒を相当量飲んでいたことが死因となった。

遺言では〈覚悟の死です。どうかぼくの死体、その他恥かしめないように〉、そして「太宰の墓に入れてくれ」などと懇願したが、田中の遺骨は青山霊園に埋葬されてしまった（※『田中英光全集第11』）。

1913 - 1947

織田作之助（おださくのすけ）

「コタツ記事」の名手

小説家。大阪で仕出し屋の家に生まれる。劇作家志望だったが、スタンダールの『赤と黒』を読んで、小説家への転身を決意。『夫婦善哉』では大阪の下町に生きる人々の描写で注目を集める。デカダンス作家として知られ、「オダサク」の愛称で親しまれたが、私生活は乱れがちで早逝してしまった。

四国の記事を大阪の自宅で執筆

昭和14年（1939）、織田作之助は日本工業新聞社に入社。新聞記者として勤務するが、新米の頃から毎日のように遅刻していた。

さらに織田は、ロクに取材せず、他紙の報道記事の内容をまとめて書いてばかりいた。現在の報道用語で言う「コタツ記事」（コタツに入ったまま書ける記事）の名手だったが、それでも読者からの人気は上々だったらしい。

あるとき、四国に出張取材して、現地の鉱山について書かねばならない仕事が生じたが、織田は大阪の自宅から動かなかった。そして出張帰りの鉱山監督局の役人から話だけ聞いて、自分が本当に取材敢行したような文章を組み立ててしまった。

「商工大臣のインタビュー記事を、空想だけで一問一答にして掲載した」という逸話も有名だが、これはさすがに都市伝説だという。

1922 - 2021

瀬戸内寂聴

せとうちじゃくちょう

駆け落ち失敗、ひとりで出奔

小説家。本名・晴美。徳島県の神仏具商の家に生まれる。東京女子大学在学中に外務省留学生の男性と結婚し、中国・北京へ渡る。帰国後、夫の教え子との恋愛が原因で離婚。妻子ある作家とも長年関係し、作品の中で繰り返しモチーフとする。1973年、中尊寺で得度（出家）。『源氏物語』の現代語訳はベストセラーになった。

人生を狂わせた「涼太」との不倫

大学教授と結婚し、娘も生まれていた25歳のとき、夫の教え子の年下男性と文学を語りあううち、抜き差しならない関係になってしまう（この年下男性は、『夏の終り』など瀬戸内作品に「涼太」という仮名で何度も描かれている）。瀬戸内の中では「作家になりたい」という思いが燃え上がっており、文学への愛と彼への恋がいりまじっていた。そして、夫から履き物を隠されてもなお、彼に会いたい一心で、裸足のまま玄関から走り出て、二度と婚家には戻らなかった。

――しかし、前のめりな人妻との駆け落ちが怖くなった「涼太」からはフラれてしまい、瀬戸内はひとりぼっちで京都へ出奔しており、実情はかなりの悲喜劇であった。

若い女性の愛と性を大胆に描いた『花芯』などの初期作品で「子宮作家」などと呼ばれ、文芸誌から長期間干されるなど苦労は耐えなかった瀬戸内だが、やがて少女小説や日本近代に大成した女性たちについての評伝が評価され、作家としてゆるぎない地位を築いていく。
駆け落ち失敗から10年以上がたったあと、「涼太」が東京の瀬戸内の下宿を訪ねてきたことで復縁。同棲もしたが、やはりうまくいかなかった。

文豪こぼれ話

死とは無であること

里見弴（↓P105）と対談したとき、瀬戸内が「先生にとって死は何でしょうか」と尋ねると、里見は「死は無だ！」と即答したという。昭和48年（1973）、瀬戸内は51歳で突然出家し、天台宗の尼僧になったが、里見から受け継いだ「死とは無である」という思想を強く持っていた。この思想は最晩年の作品まで何度も取り上げられるが、むしろ瀬戸内の中では「救済」になっていたようだ。

1923 - 1996

遠藤周作

キリスト教との微妙な関係

小説家。東京生まれ。慶應義塾大学仏文科卒業。カトリック信者として日本史上のキリスト教を研究。キリスト教が禁教だった17世紀日本における「信仰」というテーマを掘り下げた『沈黙』が高い評価を得た。ほかに医療小説『海と毒薬』など。ユーモアに富んだ一面もあり、狐狸庵先生の筆名でのエッセイや娯楽小説でも人気だった。

洗礼を受けた時期を偽装

遠藤は子ども時代を回想し、キリスト教の信仰が身体に合わない〈ダブダブの洋服〉（※「合わない洋服」）のようだったと発言しており、後年になっても「キリスト教作家」だとフィルタリングされることに、微妙な思いを抱いていたらしい。

純文学から大衆向けのユーモアあふれる著作まで、遠藤の執筆ジャンルはかなり広かったので、「キリスト教作家」という肩書は自分の可能性を狭める気がしたのだろうとか、自分以外の日本人の「キリスト教作家」――たとえば三浦朱門などは強い自らの意思でキリスト教徒であることを選び取ったのに対し、遠藤の場合は家族の意向に逆らえず、言われるがまま信者になっただけだから、そんな自分が「キリスト教作家」と呼ばれてしまってよいのかという逡巡があったのでは……、などと推測されている。

しかし、遠藤周作の年譜を見ると、彼がさらにこじらせたパーソナリティの持ち主だったことがわかるようで興味深いのだ。キリスト教の洗礼を受けた時期が、なぜか年譜の類によって異なっており、作成者の誤記、あるいは遠藤がそのチェックを怠ったというより、意図的にごまかそうとしているのではないかという疑惑を感じてしまう。

遠藤の本音を代弁すると、キリスト教徒としての自分に（なぜか）自信が持てない、というひとことに尽きるのではないか。年譜類では、実際に彼が洗礼を受けた年齢より、かなり幼い時期に洗礼を受けたとほのめかす内容が目立つ。ここからも「自分の意思が固まる前の幼少期に、家族の意向で洗礼を受けてキリスト教徒になってしまっただけの私なので、現代日本のキリスト教作家を代表するような存在だと考えてもらうのは困るんです」と言外に伝えたかったのがにじみ出ているようだ。慎み深すぎるというか、弱気すぎるというか……。

『現代日本文学全集88　昭和小説集（3）』には遠藤周作の作品が収められ、その「年譜」には彼が家族とともに中国から神戸市に移り住んだ〈9歳の時、伯母の影響でカトリックの洗禮（せんれい）をうけた〉とあって、これが最年少記録のようだ。ほかにも「10歳」、「11歳」、「小学6年生」……と、年譜ごとに年齢が違うが、ここまでいけば、いくらなんでも異常事態である。

本当は12歳で、中学校に入った直後の6月、兵庫県・西宮市夙川（しゅくがわ）のカトリック教会で洗礼を受けたというのが正解らしい。洗礼を受けたのは9歳だったと言い張った『現代日本文学全集』の年譜では、その直後、時期は明記せずに〈御影の灘中學（現在、灘高校）に入學、同校を卒業〉という記述を続けている。嘘をついているのがよほど心苦しかったのだろうか。このような指摘を重ねれば、天国の遠藤には悶絶されてしまいそうだが、いたしかたない（項末の「文豪こぼれ話」参照）。

洗礼時期だけでなく、遠藤は自身の処女作が何かについての認定にもかなり奇妙な態度をとっている。遠藤は「一人の作家の処女作は彼のその後に書くべきすべての作品を決定する」という信念の持ち主だったそうだが、おそらく何に対しても「最初」を意識しすぎて、複雑にこじらせてしまったタイプの御仁ではないか。あるいは「処女厨」の亜種であるような気もしてならない。活字になったという意味で遠藤の処女作は、上智大学予科在学中の18歳で書かれ、雑誌「上智」に掲載された『形而上的神、宗教的神』だったが、のちには24歳のときのエッセイ『神々と神と』を処女作であると主張するようになった。いずれにせよ、これらの作品を若書きした遠藤を「キリスト教作家」と見なさないほうがおかしいように思える。

『沈黙』の本当のタイトル

そして、やはり少年時代から『聖書』の教えに親しんだ遠藤の「常識」は、多くの日本人とはかなり異なっていた。代表作『沈黙』のタイトルは、もともと『日向（ひなた）の匂い』だったが、新潮社の担当編集者から「そんなのじゃ売れない」と却下された末に決まったという。

『沈黙』とは、徳川幕府がキリスト教弾圧に乗り出した江戸時代初期を舞台とした小説で、日本で宣教活動をしていたロドリゴ司祭は苦悩する。神が重い沈黙を続ける中、ロドリゴ司祭は棄教するか、死を選ぶかという究極の選択を迫られるのだが、結局、踏み絵を踏む。

しかし、このシーンは〈こうして司祭が踏絵に足をかけた時、朝が来た。鶏が遠くで鳴いた〉と書かれており、『聖書』で言う「ペテロの否認」の部分の知識があれば、「鶏が鳴く」＝「信仰を本当に捨てたのではない、のちに復教した」という本当の意味が理解できるものらしい。

ここに、『沈黙』の原題が『日向の匂い』だった理由もあるようだ。遠藤としては主人公のロドリゴが晩年、故郷に戻り、「自分の家の日向で腕組みをして、過ぎ去った人生を顧みるしんみりした小説」を書いたつもりだった。つまり、そこまでリラックスして、棄教というキリスト教徒としては苦い記憶を思い出せているのも、ロドリゴの棄教は形だけのものだったからと言いたいのだ。しかし、絶対に『日向の匂い』では売れなかったし、読者も獲得できなかった気がする。

文豪こぼれ話

寝る前に「やらかし」を思い出して絶叫

遠藤は、夜、布団に入ると過去にやらかした〈恥ずかしいこと〉が一つ一つ心に蘇り、いてもたってもいられなくなって、掛け布団をひっかぶって〈アアッ、アーッ。アアッ〉などと大声を立てるのが日課だと告白している。それでも足りなければ〈ギャーッ〉と、家中に響き渡るような大声で叫んでいたらしいが、〈この経験がないようなヤツは友として語るに足りぬ〉と断言した（※『ぐうたら人間学　狐狸庵閑話』）。

1925 - 1970

三島由紀夫（みしまゆきお）

コンプレックスの塊

小説家・劇作家。本名・平岡公威。東京生まれ。東大卒。学習院中等科時代に『花ざかりの森』でデビュー、『仮面の告白』で作家としての地位を確立する。1968年、民間防衛組織「楯の会」結成。1970年、自衛隊市ヶ谷駐屯地で隊員の決起をうながすが、失敗して割腹自殺。『潮騒』『金閣寺』、戯曲『サド侯爵夫人』など。

肉体と出自のコンプレックス

身長163センチ。当時としてもかなり小柄で、虚弱で、か細い肉体に強いコンプレックスを持っていた。徴兵検査の際、農村の青年たちが軽々と持ち上げる米俵を〈私は胸までもちあげられず〉、恥ずかしかったと『仮面の告白』に書いたが、この会場にいた級友の証言によると、三島は胸どころか、地面から10センチしか持ち上げられなかったという。

のちにボディビルだけでなく、空手、剣道、ボクシングと熱心に肉体を鍛えるようになるが、〈切腹して死ぬ時に、脂身が出ないように、腹を筋肉だけにしている〉と発言している（※中川右介『昭和45年11月25日 三島由紀夫自決、日本が受けた衝撃』）。三島は切腹愛好者のさまざまなイベントに参加し、榊山保の筆名で好事家向けに男色切腹小説『愛の処刑』を書いた。

出自にもコンプレックスがあった。学習院出身の「貴族」という自己イメージにこだわるがあまり、貧農あがりの成り上がりという経歴を持つ父方の祖父・定太郎については、自分で作成した年譜では一切触れようとせず、父親からも呆れられていた。

文豪こぼれ話

太宰は「規則的な生活」でなんとかなった？

大学時代、三島は〈僕は太宰さんの文学はきらいなんです〉とわざわざ太宰に会いに行って放言している。しかし〈そんなことを言ったって、こうして来てるんだから、やっぱり好きなんだよな。なあ、やっぱり好きなんだ〉と、太宰節全開で返されてしまい、三島は余計に怒り狂った（※『太陽と鉄・私の遍歴時代』）。

後年、三島は〈太宰のもっていた性格的欠陥は、少なくともその半分が、冷水摩擦や器械体操や規則的な生活で治される筈だった〉（※『小説家の休暇』）と当時を振り返っているが、どう考えても不可能だろう。

1928 - 1987

澁澤龍彦

(しぶさわたつひこ)

あまりにも鈍感

文筆家、小説家。東京生まれ。明治の経済人・渋沢栄一の遠い親戚で、赤児のときに抱いてもらったが、小便を漏らしてしまった。身長160センチ。老けないことに定評があり、後年まで少年のような外見を保っていた。小説『高丘親王航海記』。『悪徳の栄え』などマルキ・ド・サド作品の翻訳・研究も有名。

痛みに強すぎる

異常な人物、事件を好んで描いた澁澤だが、世間が想像するよりも常識的な人物で、とくに夜型生活者でもなく、逆に驚かされるほど異常なエピソードが少ない。強いて異常といえば、痛みに強すぎた点だろうか。

たとえば、喉の痛みを長年感じていたが、本人としてはヘビースモーカーにありがちな咽頭炎だと思いこんでいた。しかし、医師からは末期の咽頭がんであると宣告されてしまう。手術の直後、まだ麻酔から完全に覚めた状態でもないというのに、〈ガーゼの当てがわれた喉が血のまじったあぶく状のものを吹き出し〉ながら、澁澤は〈幻覚がおもしろかったよ〉と〈大きな丸っこい字〉で筆談しようとした。

それを目撃したひとりで、澁澤の友人・出口裕弘(でぐちゆうこう)は大きな戸惑いを覚え〈自分の病苦さえたちまち遊戯化してしまう徹底したホモ・ルーデンス(※「遊戯する人間」という意味のラテン語)〉だと彼を評しながらも、長年付き合ってわかったつもりでいた澁澤の本質は、やはり謎のままだったと『後ろ姿の澁澤龍彦』で回想している。

澁澤には若い頃から「肉体はオブジェにほかならない」という思想があったが、がんの手術で声を失い、喉に人工気門の穴が開いてしまった悲劇も〈私の肉体は私の思想を追いかけているのかもしれない〉と、あっけらかんと受け入れていたようだ(※『穴ノアル肉体ノコト』)。

脳科学者・養老孟司によると、兄の学生時代の飲み友達だった澁澤は〈真面目で、やさしく、気弱〉に見えたというが(※『オブジェと化した肉体』)、本当の澁澤は自身の遠からぬ「死」さえ冷徹に見据え、動揺すらしない強さを秘めた人物だったらしい。

「兵隊ごっこはいかがですか」と三島由紀夫を煽る

澁澤はけっこうな毒舌家で、三島由紀夫の楯の会の活動について、三島本人に会うたび〈近ごろ、兵隊ごっこはいかがですか〉と〈冷やかし半分に〉聞いてしまう一面があった。三島は努めて明るく、〈はい、相変わらず(※略)軍務にはげんでおります〉などと答えていたが(※「三島由紀夫氏を悼む」)、本当はかなり根に持っていたのではないかと思われる。

三島は連作『豊饒の海』第3巻の『暁の寺』において、澁澤龍彦をモデルにした今西康という登場人物を〈憐れな知識人〉呼ばわりして、〈貴族的な挙措で、汚いことをわざと言ふ〉、〈自分の中にある黒々としたものを、わざと天日の下にさらして喜んでゐる〉などと手痛い批判を加えた。澁澤が好んだ異常なテーマを、彼自身の性癖のカミングアウトだと三島は受け取っていたらしい。あげくのはてに、今西を焼死させている。

しかし、澁澤の『三島由紀夫氏を悼む』を読むかぎり、ここまで自分が三島から憎まれているとは気づけていなかったようだ。自他ともに「痛み」に対して鈍感だったと言える。

COLUMN

文豪の口説き文句

殺すか、一生忘れられぬほどの快楽の痛手を
お前様に与えるか二つに一つにて御座候――**北原白秋**

大正元年（1912）、27歳の北原白秋は隣の家に住んでいた「中央新聞」の写真技師の妻・松下俊子と不倫の愛で燃え上がってしまった。24歳の俊子は人妻の身ではありながら、外国人用のホテルのバーで働き、リリーという源氏名でホステスをしている小悪魔的存在だった。白秋は熱にうかされたように〈男の愛情と申すものは決して女のそれの如く浅はかなるものには御座なく候（※中略）今度逢わばお前様を殺すか、一生忘れられぬほどの快楽の痛手をお前様に与えるか二つに一つにて御座候〉という、気恥ずかしいラブレターを書いた（※『白秋全集 39』）。

なお、関係が俊子の夫・長平にバレてしまい、白秋と俊子は姦通罪で訴えられて入獄している。裁判所で有罪宣告を受ける前に、辛くも示談が成立したので前

科者にはならずに済んだ。

お菓子なら頭から食べてしまいたい位可愛い ──芥川龍之介

芥川龍之介の恋文は、その知的な作風とは真逆で、あまあまな内容が目立つ。

芥川家のお手伝いの少女・吉村千代には〈お前はだまっているときも　わらっているときも　ぼくにとってはだれよりもかはゆいのだ　一生、誰よりもかはゆいのだ　ぼくのじゆうにならなくとも　かはゆいのだ〉と書き送った。

のちに結婚する塚本文との交際が始まり、一年ほど経った大正6年（1917）11月に書いた恋文にも〈ゆつくり話しませう　二人きりでいつまでもいつまでも話していたい気がします　さうしてKissしてもいいでせう　いやならばよします　この頃ボクは文ちゃんがお菓子なら頭から食べてしまひたい位可愛いい気がします（※原文ママ）〉などと熱烈な一節が含まれる。

おそらく芥川は女性に甘えるタイプである（※関口安義『芥川龍之介とその時代』）。

ああ、ただあなたの愛がほしい──佐藤春夫

29歳のとき、先輩として慕っていた谷崎潤一郎の妻だった24歳の千代に、〈ああ、

ただあなたの愛がほしい。思ふ存分あなたを愛して見たい〉などと求愛しまくる情熱的なラブレターを送りつけた（※「谷崎千代への手紙」）。400字詰めの原稿用紙56枚にも及ぶ大長編だったが、それが谷崎から冷遇されていた千代には絶大な効果をあげたようだ（↓P98）。

死ぬ気で恋愛してみないか――太宰治

昭和22年（1947）3月、屋台のうどん屋で偶然会った美容師の山崎富栄と親しくなり、それから2ヶ月後、「死ぬ気で恋愛してみないか」とあまりにキザなセリフで告白し、恋仲になった。ちなみにこの時点で太宰治には妻子もいたし、彼の子を妊娠中の太田静子という愛人もいた。

また、山崎富栄と入水自殺をする直前、〈美知様　お前を誰よりも愛してゐました〉という最後の恋文を妻・美知子にあてて書いたが、恥ずかしくなったらしく、ゴミ箱にクシャクシャに丸めて捨てていた（※「太宰治アルバム」）。

世界編

杜甫（とほ）

712 - 770

李白への片想い

中国、唐代の詩人。高貴な家に生まれたが、科挙には失敗し、玄宗皇帝の下級官吏となる。同時代の世界の天才たちの中でも突出した社会的・歴史的な描写力を誇り、多くの漢詩を残した。「詩聖」と呼ばれ、同時代の天才詩人・李白と並び称される。「国破れて山河あり」で有名な詩『春望』、『絶句』など。

「李白さまの詩は無敵！」

杜甫は、11歳年上の李白が大好きだった。〈白也詩無敵（※『春日憶李白』）〉、意訳すると「李白さまの詩は無敵！」でいきなり始まる漢詩をはじめ、生涯で14の漢詩を捧げたが、李白からの返詩は2つだけだった。

745年、杜甫は李白の家を訪ね、1年間、二人きりで密着して過ごした。それから「道教の道士に会いに行こう！」と旅に出たのだが、夜は同じ掛け布団にくるまって寝たり、手に手を取りあいながら歩いていたので、杜甫は自分が愛されていると思いこんでいた。しかし、李白からは小馬鹿にされている。李白は杜甫をあまり評価しておらず、杜甫の詩風は〈齷齪（あくせく）（＝コセコセしている）〉――まるで飯粒でできた山のようで、登ろうとすると足がベチャつく、などと感じていたらしい（※『旧唐書』「杜甫伝」）。

李白は自分の詩風を〈放達〉と自尊し、何事にも囚われない自由さを誇っていた。〈重ねて与に細かに文を論ぜん〉（※『春日憶李白』）という杜甫に、内心、うんざりしていたのかもしれない。

浮草ぐらしで迎えた最後

杜甫はその生涯において、官吏として仕事をしているより、失職して各地をさまよい歩いている時間のほうが長かった。「国破れて山河あり」で始まる『春望』は日本でも有名だが、そうした失意と漂泊の日々の中で生まれた詩のようだ。

いよいよ政治の混迷が深まり、各地で戦乱が勃発する中、戦争というものが大嫌いな杜甫は四川省の田舎町に引っ込んで2年間を過ごした。それでも一念発起して故郷・長安に帰ろうと揚子江に舟を浮かべてみたものの、長安は戦禍のさなかだと聞くと、帰る気力を失い、水上を2年かけて舟で移動するだけの浮草ぐらしを続け、最期も舟の上で迎えてしまった。

残念な彼の人生から紡ぎ出された、いわば「嘆き節」が特徴である杜甫の詩は、同時代人にはあまり評価されておらず、「中国第一の詩人」などと称えられはじめたのは、死後40年以上も経ってからだったという。

1564 - 1616

ウィリアム・シェイクスピア

『ヴェニスの商人』以上の守銭奴

イギリスの詩人、劇作家。生涯には謎が多く、毛織物商のジョン・シェイクスピアの息子として生まれたが、大学に通う以外の何らかの手段で幅広い教養を手に入れ、ロンドンの劇団で俳優と脚本家を兼任。そのため、シェイクスピアは実在せず、哲学者フランシス・ベーコンなど当時の知識人の誰かの筆名ではないかという説もある。

転売ヤーであり、脱税の常習犯

17世紀初頭のロンドンで大人気の俳優兼劇作家だっただけあり、その当時の年収は低く見積もっても200ポンド（現代日本円でおよそ2000万円）以上はあったと言われる。当時の学校教師の10倍は稼いでいたのだが、劇作家時代から、彼の収入には投資による不労所得が含まれていた。シェイクスピアは、若い頃から劇作で得た収入の多くを投資にまわしており、47歳頃には劇団関係の仕事などはすべて辞め、故郷で悠々自適の隠居生活を実践しはじめたという。

しかし、近年の研究では、シェイクスピアが故郷で「転売ヤー」にジョブチェンジしていたことが明らかになっている。ジェーン・アーチャー博士など、イングランド・ウェールズにあるアベリストウィス大学の研究者たちの調査によると、シェイクスピアは自身が所有する広大な畑でとれた小麦やトウモロコシなどの穀物を蓄えさせ、不作の年に法外な値段で転売して巨額の富を得ていたという。これは当時のイギリスでも違法行為で、1598年2月には、あまりにあくどい転売を行って起訴された。かろうじて牢屋に入らずに済んだのは、当局に罰金を払ったからだが、シェイクスピアがこの手の摘発を受けることは珍しくなく、脱税の常習犯でもあった。

こういうあまり誇れない手段で、故郷の街ストラトフォード・アポン・エイヴォンだけでなく、イングランド中部ウォリックシャーを代表する大地主に成り上がったシェイクスピアだが、8歳年上の妻・アンとは不仲で、長男・ハムネットが11歳で夭逝したあとは跡継ぎの男子に恵まれず、せっかく獲得した貴族の位や紋章をはじめ、自慢の土地、財産の継承には失敗した。

死の数週間前に書かれた遺言で、妻にはあてつけのつもりか「二番目に良いベッドを付属品つきで残す」とだけ書いたのも有名だ。当時のイギリスの市民法では、夫の遺言内容に関係なく、妻は夫が残した財産の3分の1を得て、居宅に生涯住む権利が自動的に認められたそうなので、シェイクスピアはその慣習にどうしても抗いたかったのかもしれない。遺書の文面からは長年連れ添ったはずの妻より、長女一家に遺産の大部分を相続させたいという意思が強く感じられる。

諸説ある死因

最晩年まで数々の悪行を重ねたシェイクスピアだが、健康状態は良好そのものだったという。とくにわが国では「腐りきったニシンを食べたことによる感染症」が原因で亡くなったと語られてきたが、海外ではマイナー説のようだ。おそらく、シェイクスピアと同時代を生きた劇作家のロバート・グリーンが、「ニシンの酢漬けとライニッシュワインの過剰摂取で死んだ」という説との混同、もしくはそこからの連想だろう。シェイクスピアの地元の教会関係者の日記によると「ドレイトン、ベン・ジョンソンという知人たちと開いた陽気なパーティで飲みすぎた結果、感染症にかかって死んだ」らしい。シェイクスピアは晩年、パリピ（パーティ・ピープル）に転向していたのだろうか。ただ、これも彼の死から50年後の記録なので信憑性は薄い。

いずれにせよ彼の遺体は故郷のストラトフォード・アポン・エイヴォンのホーリー・トリニティ教会の内陣に埋葬されるという大きな栄誉を得たのだが、これはシェイクスピアが文豪として評価された結果ではなく、「収入の10分の1を教会に納めるべし」という十分の一税の巨額納税者として、彼が教会の「お得意様」だったからにほかならない。脱税などは平気でも、教会にだけは良い顔をしたかったのか、本当は神様が怖かったのか、晩年は毎年440ポンド（約4400万円）も支払っていたらしい。シェイクスピアの意外な一面といえるだろうか。

文豪こぼれ話

日本での初期タイトル

日本では明治初期にシェイクスピアの作品が紹介されたが、『ヴェニスの商人』は『人肉質入裁判』、『ジュリアス・シーザー』は『自由太刀余波鋭鋒（じゆうのたちなごりのきれあじ）』とオリジナルとはかなり違うタイトルで翻訳されている。

1749 - 1832

ゲーテ

『魔王』の歌詞に込められた父親ディス

ドイツの詩人、小説家、劇作家、ヴァイマル公国の政治家。ヨハン・ヴォルフガング・フォン・ゲーテ。1782年、皇帝ヨーゼフ2世により男爵に列せられた。明治時代、森鷗外が戯曲『ファウスト』や詩作を翻訳し、日本にも知られるようになった。小説『若きウェルテルの悩み』は大ヒットしたが、一部で発禁処分を受けた。

父親を恨むアダルト・チルドレン

ヴァイマル公国の宮廷顧問官をはじめ、要職を歴任したので、最初から貴族出身のようなイメージを持たれがちだが、実際は蹄鉄(ていてつ)職人の家系で、祖父の代に急速な階級上昇をした成り上がり者だった。父の代でも、財産しか誇れるものがない家柄だったので、ゲーテは宮廷の役人になるよう父親から強制された。青年時代からゲーテは作家になりたかったので苦悩する。

その反動で実家を離れ、大学に通っていた時代には「自由を得た」とはしゃぎすぎて消耗し、不治の病だった結核に感染してしまった。しかし父親からは心配されるどころか、「大事な身体を不品行で損ねた」と叱責されたので、ゲーテはこんな父親を絶対に許すまいと心に決めた。幼少時からの英才教育によって幅広い教養と、語学力を身につけていたものの、「生涯で本当に幸福だったときは1ヶ月もなかったと言ってよい」と発言しており、自己評価がかなり低かった。

のちにシューベルトが歌曲にしたことで有名な『魔王』の歌詞も、ゲーテが自分の父親を間接的にディスる詩になっている。深夜、病気の子どもを連れた父親が医者の家まで馬を飛ばすという内容だが、これは友達の家に向かっていたゲーテが本当に見た光景で、僕にはそんな優しい父親はいなかった……ということを密かに読み手に伝えたかったらしい。

文豪こぼれ話

70代で10代少女にガチ恋

「愛の人」と言われるが、恋愛関係はとんでもなかった。当時としては後期高齢者扱いの60代を過ぎても人妻や年若い女性との恋愛沙汰が絶えず、きわめつけは72歳になっていたにもかかわらず、17歳のウルリーケという少女にガチ恋し、求婚したエピソードである。

さすがのゲーテも彼女に直接、プロポーズするのは気が引けたのか、少しでも成功確率を上げようとしたのか、自身が仕えるヴァイマル大公——つまり社会的身分の高い人物に恋のキューピット役を任せている。しかし、ウルリーケは「ゲーテのことは優しい父親以外には思えない」、つまり恋愛感情がなかったので、失恋してしまった。「優しいおじいちゃん」と言われなかっただけでもマシだろうか。

スタール夫人

1766 - 1817

ナポレオンの浴室に押しかけて玉砕

フランスの女流評論家、小説家。アンヌ・ルイーズ・ジェルメーヌ・ド・スタール。ルイ16世の財務長官を務めたジャック・ネッケルの愛娘。母の文芸サロンで育てられた早熟の天才少女だった。小説の登場人物がよく自殺することで知られ、のちには『自殺論』を書いた。『デルフィーヌ』『コリーヌ』『ドイツ論』など。

「天才に性別はない」と浴室に突入

マリー・アントワネットとルイ16世の仲立ちでスウェーデン貴族・スタール男爵と結婚できたが、その条件のひとつが、ギャンブル好きだったスタール男爵の借金の肩代わりだった。結果、夫のことを尊敬できず、仲も悪く、当時のヨーロッパの上流社会にありがちな話ではあるが、父親が違う子を産んでは夫に認知を迫るという、ものすごいヤリマンになってしまった。

ジェルメーヌことスタール夫人は「フランスの岡本かの子（↓P110）」と言うべき人物で、好きな人には深く刺さるが、そうでない人からは徹底的に嫌われていた。小説家バンジャマン・コンスタンなど、ある種の男性から愛され、彼らの子を産む一方、ゲーテからは「才女気取り」を嫌われ、ハインリヒ・ハイネには「女サルタン」とあだ名された。ターバンを愛用するファッションセンスと奔放な男出入りを揶揄されたらしい。

ナポレオンが台頭すると、彼の浴室に「天才に性別はない」と言って侵入しようとした（※ハイネ『回想記』）。本当はナポレオンの愛人になりたかったのかもしれない。しかし失敗してしまい、彼女のナポレオンへの「愛」は「憎」に反転する。「あの男はいちばんエラい女とは、子どもをたくさん産む女だと言った！」とアンチ活動を展開し（※『フランス革命文明論』）、フランスから国外追放されている。ちなみにスタール夫人が考えるエラい男とは、たくさん本を書いた男性のことだった。彼女はナポレオン没落後に帰仏し、パリで亡くなった。

ジェーン・オースティン

1775 - 1817

イギリスの小説家。ハンプシャーのスティーブントン村で牧師の娘として生まれた。10代のときから文学好きの家族のために小説を書き始める。代表作の多くは、存命中に匿名で発表されたもの。夏目漱石は彼女の作品を絶賛している。代表作に『高慢と偏見』『エマ』『説きふせられて』など。

『高慢と偏見』の糧となったこじらせ恋愛

20歳の頃、知人の甥にあたるトム・ルフロイのことを「とても紳士的でハンサム」と言って入れ込んでいたが、ルフロイは養うべき多くの弟を持つ苦労人で、おそらく人生観の違いなどを理由に捨てられた。しかし、ジェーンはそういう理由でフラれてしまったことが耐え難かったのか、1813年に出版された『高慢と偏見』という恋愛小説では、自分たちをモデルとしたカップルが「身分の違い」を理由に破局したということにしている。

その後、生涯において出会うすべての男を彼と比べる癖がつき、独身で過ごした。幸福の象徴だった既婚者女性、とりわけ、子持ち女性に対する評価も独特なものとなり、頻繁に妊娠する姪を「可哀想な動物〈＝poor animal〉」と呼ぶようになっている。

1802年12月2日、作家を志しつつもデビューさえできておらず、当時の年齢感覚では行き遅れになりつつあった27歳目前のジェーンに、知り合いの金持ちの家の息子で21歳のハリス・ビッグ・ウィザーがプロポーズしてきた。その場では金に目がくらんで承諾したものの、見た目が微妙で、社交性もない彼を生理的に受けつけなかったらしく、わずか24時間で婚約破棄している。

オースティンの創作態度

作家としては『スーザン』という作品（のちの『ノーサンガー・アビー』）を1803年に10ポンドで出版社に売っている。しかし評価は低く、なかなか出版されなかった。初めて活字になったのは1811年の『分別と多感』だったが、本名ではなく「By A Lady（とあるレディー）」と署名して以来、死ぬまで匿名作家を貫いた。19世紀初頭のイギリスでは、女性が実名で小説を発表して、名声を得ようとするような行為が慎み深さに欠けると考えられていたからである。

オースティンは、作家としてもレディーらしく振る舞おうとした。知ったかぶりなどはせず、謙虚に、自分がよく知っていること以外は小説に書かないというモットーを貫いたのである。そして一方では、実在のモデルを模写して描くことについては〈社会の礼儀に反する行為〉として避けていた（※J・E・オースティン＝リー『ジェイン・オースティンの思い出』）。自身の経験したイザコザをベースとしつつも努めて客観的に人間を描いた彼女の作品は普遍的な共感を呼び、現代においても何度も映像化されて人気を集めている。

グリム兄弟

1785 - 1863（ヤーコプ）
1786 - 1859（ヴィルヘルム）

強すぎる兄弟愛

ドイツ民間伝承の研究者、言語学者。兄がヤーコプ・グリム、弟がヴィルヘルム・グリム。ドイツ中部の裕福な家庭に生まれる。『グリム童話集』は１８１２年に１巻、15年に２巻を出版した。ゲッティンゲンではともに図書館員となる。１８４０年代にベルリン大学に転任、ともに教授となり、『ドイツ語辞典』の編集を行った。

60年以上も同居

ドイツ民間伝承を研究し、『グリム童話集』として出版したグリム兄弟は、強すぎる兄弟愛で結ばれており、生涯における約61年間を同居して過ごした。グリム兄弟の兄・ヤーコプは自叙伝で「弟とはいつも一つの部屋に暮らし、一つのベッドで寝た」と認め、講演会でも繰り返し、この事実に言及している。

内向的で引きこもりのヤーコプにとって、外交的で快活な弟・ヴィルヘルムは世間への窓のような存在だったが、弟はそんな兄を熱愛していた。

ヴィルヘルムがパリの大学に通うため、1年間ほど別居した期間には、遠距離恋愛中の恋人同士のような手紙をやりとりした。ヴィルヘルムいわく〈兄さんが行ってしまった時、胸が張り裂けるほどで、堪えられませんでした。きっと兄さんは、僕がどれほど兄さんを愛しているかなんてわかっていないでしょう〉（※１８０５年２月２日）。兄からも〈愛するヴィルヘルムよ、僕たちは決して離れ離れにならないようにしよう〉（※１８０５年７月12日／訳文はいずれも小林「書斎の静寂のユートピア」より）。

ヤーコプは生涯独身だったが、ヴィルヘルムが女性と結婚すると、ヤーコプは弟夫妻と同居した。

1799 - 1850

バルザック

厄介な創作意欲の法則

19世紀フランスを代表する文豪。オノレ・ド・バルザック。当時のフランス社会を舞台にしたあらゆる階級の人間ドラマを「人間喜劇」と捉え、さまざまなスタイルの小説で表現した。同じ人物が他作品にも登場する「人物再登場法」を最初に使いこなした作家として知られる。『ゴリオ爺さん』『谷間の百合』など。

借金しないと傑作が書けない

フランス貴族風に「オノレ・ド・バルザック」と名乗っているが、これはペンネームで平民の出身。見栄っ張りの浪費家で、生活が派手だった。後年には、年単位で数万フラン（現代日本円で数千万円）規模の借金と返済を繰り返し、生涯における最高負債額は、1847年の21万7000フラン（2億1700万円）。しかし、バルザックのキャリアには「借金なければ傑作なし」という奇妙な法則があり、借金がかさんでいる時期ほど代表作が誕生している。

たとえば1847年は大変な年で、結婚を考えていたポーランド貴族の未亡人、エヴェリーナ・ハンスカのためにパリのフォルチュネ街に邸宅を購入し、内装も豪華に整えようと出費を重ねている。バルザックには「貴族の女性しか本気で愛せない」という妙なフェチがあり、愛のためなら出費など惜しくなかったが、一攫千金を夢見て買った北部鉄道の株が暴落したのは痛かった。借金額は増える一方だったが、それに比例して創作意欲が高まり、『従妹ベット』『従兄ポンス』など晩年の傑作が生まれている。

のちにハンスカと結婚すると、順調に借金額を減らすことができたが、創作意欲と才能も枯渇し、傑作はその後生まれなかった。

ゲラを見ると創作意欲がわいてしまう

今も昔も、一冊の本が世に出るまでは、印刷所で活字になったゲラ（印刷見本）を見て、著者や編集者が必要と思える箇所に直しを入れる校正作業が行われている。しかし、バルザックは「ゲラを見るたび、創作意欲が再ピークに達する」という厄介な習性の持ち主で、毎回、紙の余白が真っ黒になるまで訂正を入れまくった。こうした編集者泣かせの作業を、多いときは16回も繰り返している。時代が許せば、尾崎紅葉（↓P56）のように、彼のゲラにも現代アート的価値が生じていたかもしれない。

しかし、そんな行為を重ねられたら、編集者はたまったものではない。費用もかさめば時間もかかるので、出版社との関係も悪化していった。契約書に「完全原稿の引き渡し」という文面を入れられようが、超課金を要求されようが、バルザックは意にも介さず、印刷所に直接出向いて校正作業という名の執筆を続け、小説の長さはどんどん伸びていった。

1802 - 1885

ヴィクトル・ユーゴー

息子の恋人を寝取る

フランスの詩人、劇作家、小説家。わずか19歳でデビュー詩集を刊行し、ロマン主義文学の巨匠として戯曲『エルナニ』、小説『ノートルダム・ド・パリ』『レ・ミゼラブル』などを発表。若い頃は王党派だったが、のちにはフランスの共和制樹立に貢献。ユーロ導入前、5フラン紙幣の肖像画に採用された時期がある。

型破りの性欲

性的には早熟だったが、20歳のとき、幼馴染のアデール・フーシェとの初恋を実らせ、結婚するまで童貞を死守した。しかし、結婚してからの性欲の爆発は怪物じみており、新婚初夜は9回もアデールを抱いた。その後も毎晩のように彼女とベッドをともにし、そのせいでアデールは毎年のように妊娠と出産を繰り返すことになる。

ユーゴーは世間から〈少しも休まずにオード（※崇高なテーマを歌い上げた自由形式の詩）を子供を生みだしている〉（※アンドレ・モロワ『ヴィクトール・ユゴー　詩と愛と革命 上』）とからかわれ、3男2女を授かった時点で、アデールからはセックス・ストライキ宣言を出されてしまう。しかし、こうして浮気の大義名分を手に入れたユーゴーの女性関係は大変なことになった。

文豪としての名声が増す一方だった45歳のときには、当時21歳の息子・シャルルの恋人で、「パリでいちばん美しい肉体の持ち主」と言われたアリス・オジーという女優を寝取っている。しかし、息子シャルルにとって父親は神にも等しい存在だったので、まともな抗議さえできなかった。また、アリスはサディスティックな女で、シャルルを痛めつけることに快感を覚えていたという。

この頃でも嵐のような性欲に支配されていたユーゴーは、さまざまな女と手当たり次第に関係を持った。晩年まで精力的に執筆活動を続けたが、彼は愛人たちとのセックス事情を手帳に克明に記録しており、83歳で死ぬ直前まで、性の方面でも現役だったことがわかっている。

文豪こぼれ話

世界一短い手紙

出版社に「?」と手紙を送り、「!」と返事を受け取った「世界一短い手紙」はギネス世界記録に認定されている。ちなみにユーゴーが自作の売れ行きを編集者に尋ねた手紙である。

アレクサンドル・デュマ

1802 - 1870

盗作を正当化

19世紀フランスの大文豪。息子も高名な作家になったので、「デュマ・ペール（デュマの父の意味）」、「大デュマ」と呼ばれることもある。小説、劇作など、さまざまなジャンルで、英雄と友情の物語を描き、伝説的な大成功を収めたが、後年は没落。『三銃士』『モンテ・クリスト伯』など。

盗作のすごい言い訳

人呼んで「黒い悪魔」。この異名には2つの理由があると思われる。まず、デュマが浅黒い肌の持ち主だったこと（彼の祖父母は、フランスの侯爵とサント＝ドミンゴの黒人女性奴隷という身分差カップルだった）。しかし、筆者としては、デュマの創作姿勢が「真っ黒だから」という説を推したい。

本人も、「たしかに私は盗作した。だが私の書いたもののほうが面白い」と認めてしまっている。「盗む盗むと人は言うが、アレクサンダー大帝がギリシャを盗んだとか、イタリアを盗んだとか誰も言わないじゃないか。私が他人から取ってくるのは、盗むのじゃない。征服し、併合したんだ」。この堂々たる詭弁を聞いたアンチのほうがあっけにとられ、中傷を止めたとも伝わる。

『三銃士』や『モンテ・クリスト伯』などのデュマの代表作も実はオリジナルではなく、オーギュスト・マケという売れない小説家の作品を、彼の合意のもとにデュマがリライトして生まれた作品である。デュマはマケにかなりの金を渡していたが、「原作者」の苦悩は深く、「デュマから作品を盗まれた」と主張する裁判を起こされてしまった。しかし、デュマが手を入れなかったら読める代物ではないと裁判所が判断し、マケが敗訴している。

パワフルすぎる生涯

デュマは生涯で約300の作品を発表し、空前絶後の大金を稼いだ。『モンテ・クリスト伯』や『三銃士』の連載中は、少なくとも20万~80万フラン(2億~8億円)を稼ぎ、大豪邸に住んで、ときのフランス王ルイ・フィリップにも比肩するような絢爛豪華なライフスタイルで話題を呼んだが、性欲も強かった。

まともな初恋を経験する以前に、女性の肉体漁りを覚えてしまったタイプで、16歳のとき世話になっていた神父の姪たちのダンス相手になって大好評を得て以来、「案外、自分はモテるのかもしれない」という自信を抱いたデュマは、3歳年上のお針子のアグラエという少女を1年もかけて口説き落とし、初体験を遂げた。その後は手当たり次第である。

好みの女性のタイプは金髪・色白・ぽっちゃりで、文豪として名をなしたあとは、並み居る愛人たちだけでなく、昔の情婦とその家族、子どもたちにいたるまで面倒を見ていた。

しかし最終的には、そういう放漫財政が祟って破産してしまった。愛人・情婦の類だけでなく、親交のある出版関係者、目をかけている作家の卵、その他、誰かわからない者たちの衣食住の面倒を見るだけでなく、小遣いまで与えていたからだ。食客を抱えるのが趣味とは古代中国の諸侯のようだが、彼らに食いつぶされて破産したデュマは、死ぬまで息子の世話になった。

文豪こぼれ話

性欲を受け継いだデュマ・フィス

息子の名前もアレクサンドルだったので、彼は「デュマ・フィス(デュマの息子の意味)」という通称で知られる。デュマ・フィスは父親のようなケダモノにはならないと心に決めており、作風も説教臭いとされがちだが、父譲りの性欲がいかんともしがたく、多くの愛人をつくった。彼が高級娼婦たちのもとを渡り歩いた経験から書かれたのが、デビュー作の『椿姫』で、これはのちにヴェルディによって歌劇にされた。

1804 - 1876

ジョルジュ・サンド

ショパンとの関係をこじらせる

フランスの小説家。ジョルジュ・サンドは男性の名前風のペンネームで、本名はオーロール＝デュパン。「男装の麗人」として名高いが、常にそうだったわけではない。ジェンダーを扱う作品が多く、フェミニストの先駆けとも言われるが、当時の女権拡張運動については批判もしていた。『愛の妖精』『レリア』など。

恋多き男装の麗人

男装の女性作家として有名なジョルジュ・サンドは、王家の血を引く軍人貴族の父と、小鳥屋の娘だった母という身分差カップルの娘として生まれた。4歳で父が事故死し、母親に育てられるが、サンドと母親の仲は悪かった。18歳でデュドゥバン男爵と結婚し2人の子をもうけるが、粗野で無知な夫に失望し、別居する。その後、詩人のミュッセや、音楽家のリスト、画家のドラクロワなど、名だたる文化人たちと浮き名を流していった。

ショパンとの関係も有名である。生粋の肉食女である彼女は、「まだ出会って2週間だし……」と躊躇しているショパンを押し倒して強引に肉体関係を結んだ。しかしその後は、年下のショパンを子ども扱いして肉体関係を拒否。自分と折り合いの悪い娘・ソランジュに彼を奪われるという妄想に囚われ、ショパンと破局してしまう。
ショパンが亡くなるとき、ソランジュは最後までそばにいて彼の手を握りしめていたが、サンドは彼の死に目に会いに来なかったのはもちろん、葬式にさえ来なかった。付き合っていた頃に「天使」と呼んでいたショパンを最終的には「悪魔」と表現しているし、自分がショパンに送った手紙も、ほとんどすべてを取り戻し、火中に投じて燃やしつくすなど、徹底的にショパンのことは嫌うようになった。

サンドはその後も男性遍歴を重ね、67歳の頃には、シャルル・マルシャルという自分の息子より2歳若い男と恋仲になる。後輩作家のギュスターヴ・フローベールから心配されると「私たちの人生は愛でなりたっている」「愛を捨てるということは生きることをやめること」などと啖呵を切る手紙を送った。これはちょっと、かっこいい。

アンデルセン

「ビジネス童貞」疑惑

1805 - 1875

デンマークの童話作家、詩人。ハンス・クリスチャン・アンデルセン。フュン島中央のオーデンセにある靴屋の息子として生まれた。自費出版『ホルメン運河からアマゲル島東端までの徒歩旅行』で評価を得て文壇に登場、自伝的小説『即興詩人』は各国で翻訳出版され、日本では森鷗外が美文体で翻訳して大人気作となった。

挫折と性

「私の生涯は波瀾にとんだ幸福の一生であった。それはさながら一編の美しいメルヘンである」と自伝に書いたアンデルセンだが、現実があまりにつらいので、夢を見るのが実に上手かった。

史実の彼は貧しい靴屋の父と文字の読めない母のもとに生まれた。父親はナポレオンを崇拝して軍隊に出願するが、敗戦後、狂死する。アンデルセンは11歳で学校を中退することになり、なんの経験もないのに俳優を志して14歳でコペンハーゲンに出るが、笑われて挫折。今度は作家になろうとしてラテン語学校に通うが、校長にいじめられて神経衰弱に陥った。その後、なんとかコペンハーゲン大学に合格し、作家としてデビューする。

大学では学友の姉だったリーボア・ヴォイクトに遅い初恋を経験するが、25歳で失恋、ドイツに1ヶ月半の傷心旅行に出ている。以来、恋愛は鳴かず飛ばずのままで、実らぬ恋ばかりして、生涯独身を貫いた。ただ、生涯を童貞で通したと本人は主張しているが、虚言癖があるので、「ビジネス童貞説」もある。1833年から翌1834年にかけてヨーロッパ全土を巡ったときに訪れたフランスとイタリアで娼婦に接触して以来、旅行のたびに必ず街娼のいる区画や、娼館を訪れたりするようになってしまったことが彼の日記から明らかなのだ。

それから30年以上経った1867年、「万国博覧会」が開かれているパリを訪れたときも、娼館で好みの娼婦を見つけ、〈その女と(※個室で)おしゃべりし、十二フランを支払って帰ってきた。行為においては罪を犯さなかったが、思考のなかでは犯した〉と日記に書いているが、おそらく、病気が怖くて合体しなかっただけではないか、という気もする(※マイケル・ブース『ありのままのアンデルセン』)。性を嫌悪しながらも惹きつけられてやまないアンデルセンは、日記の中でも娼館を「ブティック」と婉曲表現する書き癖があるので、「おしゃべり」も性的な隠語なのかもしれない。ただ、19世紀半ばの1フラン＝現代日本の1000円として換算した場合、12フランは12000円程度になるので、支払金額からはなんとも判断しがたい(ちなみに「万国博覧会」の入場料は1フランだった)。

『人魚姫』『親指姫』『みにくいアヒルの子』『マッチ売りの少女』など150以上の童話で知られるアンデルセンだが、その多くがなぜか、主人公の死によって完結する悲しいラストシーンを持つ。よく語られるようにアンデルセン自身の悲劇的な経歴と、悲観的な性格だけでなく、彼が他人との関係構築に問題を抱えていたことが影響しているのではないか。

文豪こぼれ話

枕元に「まだ死んでいません」と手紙を置く

若い頃から挫折を繰り返しすぎたためか、アンデルセンは極度の心配性だった。デンマークのオーデンセにある生家が現在、博物館になっているが、展示物のひとつに1本のロープがある。これはアンデルセンがふだんからカバンの中に入れて持ち歩いていた代物で、「もし1階が火事になっても窓から逃げられる」と考えてのことだった。

またあるとき、睡眠中に死んだと間違われて埋葬されてしまった男の話を聞いて恐れおののいたアンデルセンは、寝るときには必ず枕元に「まだ死んでいません」という手紙を置くようになっている。

往来の歩き方も独特だった。自分の顔や姿がとても醜いと信じ込んでいた彼は、他人の視線が恐ろしかったのかもしれない。通りを歩くときには目を閉じて、全作品を丸暗記していたシェイクスピアの戯曲を唱えながら、ぎこちない足取りで進んでいったという。

1809 - 1849

エドガー・アラン・ポー

富豪の養子になるも転落

アメリカの小説家、詩人。ボストン生まれ。彼には論理と幻想という2つの人格が宿っているとよく語られる。推理小説を書くのは論理のポーで、『モルグ街の殺人』などの名作を残した。幻想のポーの才能が発揮されたのは70編にも及ぶ短編小説の中で、その大半は恐怖小説である。日本の江戸川乱歩にも強い影響を与えた。

数奇で破滅的な運命

ポーは、旅芸人一座に所属する俳優夫婦の息子として生まれた。3歳で両親が亡くなったが、それによって逆に運が開いていくことになった。養父のジョン・アランはヴァージニア州でも有数の富豪だったからだ。

ポーは貧乏俳優の子どもから一転、大貿易商のお坊っちゃまとなり、エルマイラというお嬢さまと恋をして彼女との結婚を考えるようになる。しかし、ポーと養父の折り合いが悪いことに気づいたエルマイラの両親が掌返し(てのひらがえし)の態度をとったので、エルマイラはシェルトンという男と結婚してしまった。不幸は続き、ポーは養父から勘当され、生まれたときの貧乏生活に逆戻りしてしまう。

やがて、わずか13歳の親戚の少女と結婚し、その母親と3人の生活を送ったポーだが、定職につかず、さほど多くない原稿料しか収入源を確保できないうちに少女が病死する。その後も2人の女性と三角関係に陥るが、どちらとも選べず、悩んだ末になぜか自分が服毒自殺を試み、生還したあと両方捨てるなど問題行動を繰り返した。

40歳のとき、ポーは1歳年下のエルマイラが未亡人になっていることを知って会いに出かけた。1849年の再会から、失われた年月を取り戻すように仲を深めた二人はついに婚約する。

しかし、ポーが最初の妻だった少女の母親をエルマイラとの結婚式に招待しようと呼びに行く途中、事件に巻き込まれる。窃盗犯たちから絡まれたポーはボルティモアの酒場に連れ込まれ、意識がなくなるまで飲まされたあげく、衣服、荷物を追い剥ぎされた末に道路に放置されたのだ。

このときの深酒がきっかけで、ポーは体調を崩して死亡している。彼を二度も、しかも結婚直前で失ったエルマイラは大きく悲嘆した。

1809 - 1852

ゴーゴリ

衝動的に原稿を燃やして後悔

ロシアの小説家、戯曲家。ニコライ・ゴーゴリ。ウクライナの村で、コサックの血筋を引く小地主の家に生まれた。特技は演技と自作の朗読。グロテスクかつシュールな世界観で、ロシア幻想文学の祖として知られる。代表作に小説『外套』『死せる魂』『鼻』。芥川龍之介も影響を受け、『芋粥』は『外套』のオマージュとされる。

激しい思い込み

ゴーゴリは、何事にも思い込みが激しかった。手紙の中で、痔や胃の不調、全身の痛み、手足のむくみや冷え、悪寒などを訴え、湯治場巡りを繰り返していたが、実は彼が具体的になんの病気だったのかは現代でもよくわかっていない。友人たちはゴーゴリが仮病だと思っていた。生涯を独身で通したが、日記にさえ異性もしくは同性との恋愛・性愛関係をにおわせる記述が一切出てこないのも、異例である。

後年にはオカルトにのめりこみ、自分が書いてきた作品の奇怪なストーリーや登場人物は、すべてが彼の内面の悪や、否定的な側面が表面化したものであると考えるようになった。そして神に選ばれた者として、よりポジティブな人間になろうと自己研鑽を重ねるのだが、その内実は厳しすぎる禁欲主義の実践だった。シュールすぎるのは、ゴーゴリは小説家なのに、帰依していたのが「小説を書いているかぎり魂は救われない」と断罪するコンスタンチーノフスキイという教父だったことだ。

代表作『死せる魂』の続編にあたる第2部、第3部の原稿を立派に仕上げようとしていたのだが、見当外れの禁欲生活のせいで彼の健康状態は最悪だった。おまけにひどい抑うつ状態に陥ったゴーゴリは、発作的に『死せる魂』の続編原稿を自らの手で燃やし、翌朝、正気に戻ると見舞いに来た家主のアレクセイ・トルストイ（レフ・トルストイの遠い親戚の作家）に向かって、昨日の所業は悪魔のしわざだと言った。その後、自分がしたことなのにショックを受けて9日ほど寝込み、飲食の一切を拒否した末に「梯子（はしご）を！　梯子を！」と叫びながら亡くなった。

ちなみにゴーゴリが自作を焼却したのはこれが最初ではなく、20歳のときに自費出版したデビュー詩集『ガンツ・キュヘリガルテン』が新聞の書評欄で酷評されたときも、残部のすべてを自力回収し、灰にしている。

生き埋め恐怖症

仮死状態なのに死んだと誤診され、土葬されたあとに棺桶の中で息を吹き返す……そんな状況を想像して恐怖する人々が、当時の欧米社会には多かった。患者の死亡を確認した医師が、専用の短剣で心臓をひとつきしてとどめを刺してくれるサービスも20世紀に入るくらいまで行われていたほどだ。

ゴーゴリはさらに過激派の生き埋め恐怖症で、恐怖のあまり、ふだんから座った姿勢で寝る習慣があった。「自分が死んだら明らかに遺体が腐敗してくるまで埋めてくれるな」とまで遺言していたが、守ってもらえなかったらしい。

１９３１年に改葬されたとき、お棺の中で遺体が「不自然な姿勢」になっていたことがわかっている。ゴーゴリは飲食拒否の末に亡くなったので、恐れていたとおり、もしかしたら本当は気絶していただけで、生きたまま埋葬されてしまったのかもしれない。

1812 - 1870

ディケンズ

愚行がやめられない

イギリスの小説家。チャールズ・ジョン・ハファム・ディケンズ。ポーツマス郊外で下級官吏の息子として生まれ、独学で新聞記者になる。『ピクウィック・ペイパーズ』の成功で人気作家となる。代表作に『オリバー・トゥイスト』『クリスマス・キャロル』など。『エドウィン・ドルードのなぞ』の執筆中に急死した。

スキャンダルで大炎上

大英帝国時代のイギリスの国民的大文豪・ディケンズ。彼の作品はヴィクトリア女王から貧民の子どもにいたるまで愛読されていたが、私生活は模範的ではなかった。極貧家庭出身だった彼は、絶えず仕事していなければならないという不安に駆られ、執筆のほか慈善事業、雑誌編集、自作の公開朗読などで多忙すぎる日々を過ごしたとされているのだが、そこにはディケンズのこじらせた内面が大きく影響していた。

1857年、名声を享受していた45歳のときから、当時18歳の愛人女性・エレンを囲うようになる。22年間の間、苦楽をともにし、10人もの子どもを産ませた妻・キャサリンとは大喧嘩の末、家族の猛反対を押し切って別居に踏み切った。

当初、ディケンズは妻と共有していた寝室に隣接したバスルームを自分の寝室として改造し、バリケードのように板を貼りつけ、閉じこもったという。そんなさなか折り悪く、ディケンズがエレンにプレゼントしたはずの腕輪が間違えてキャサリンのところに配達され、キャサリンの母親がディケンズ家の醜聞を世間にリークしたため、夫婦問題はさらに紛糾してしまう。

キャサリンはおとなしく出ていくような女性ではなかったので、弁護士を通じて、年額600ポンド（当時の1ポンド＝現在の5万円とすると3000万円！）の生活費の支払い契約と引き換えにようやく両者の別居が成立した。


スキャンダルで大炎上中のディケンズは「いっときの安らぎも充足もない」といって嘆いたが、チャリティイベントとして、自作の朗読会を3回執り行い、大成功を収めた。しかし、あまりに人気だったので、惜しくなったディケンズは、またもや周囲の反対を押し切り、朗読会を有料に切り替えてしまった。

彼のこうした「恥ずかしい姿」を見せられた思春期の子どもたちもおかしくなってしまい、次女のケイトは、こんな父親とは暮らしたくない、と貧乏画家と結婚して家を出ていってしまった。ディケンズはケイトのウェディングドレスに顔を埋めてオイオイと声をあげて嘆き、「私がこういう人間でなかったら、ケイティ（ケイトの愛称）は家を出なかっただろう」と後悔した。

醜悪さに惹かれてしまう「嫌悪の魅力」

自身の文学において人間の内面の悪を見つめ続け、告発し続けたディケンズだが、自身にもその悪が巣食っていることは否定しようもなかった。そして悪を見つめることに喜びを感じるからこそ、そうした小説も書くことができていたのだろう。

ディケンズには、自分でも気味悪く思いながら、旧市内の不気味な墓地にどうしようもなく惹かれて、覗きに行ってしまうという「墓場マニア」の奇癖もあった。それを「嫌悪の魅力」〈the attraction of repulsion〉という言葉で表現している。

大英帝国時代のロンドンは、汚かった。19世紀半ばには都市整備されたパリに比べ、ロンドンは貧困層が周辺地域から大量流入し続けたせいで治安も悪化し、近隣地区の工場の排気が流れてきてはスモッグとなって立ち込め、上流階級のステイタスシンボルだった馬車の馬があちこちに糞便を撒き散らすため、雨が降れば往来はヘドロの海と化したという。こんなロンドンをディケンズは愛しながらも嫌悪していたという事実と、墓地に「嫌悪の魅力」を感じていたという事実には共通性があるようだ。彼が自分でも「ヤバい」と感じながら、醜悪な振る舞いを止めることができなかった事実も、同じ文脈につらなる話かもしれない。

ドストエフスキー

1821 - 1881

不器用な恋愛遍歴

19世紀ロシア文学を代表する大文豪。フョードル・ドストエフスキー。モスクワの慈善病院の医者の子として生まれた。日本では明治初期から二葉亭四迷、北村透谷らが紹介。大正時代には、室生犀星らは彼の文学に弱者への眼差しを感じたが、萩原朔太郎は人間の悪魔的本質を見出すなど解釈が多様化した。『罪と罰』『白痴』など。

ドストエフスキーはモテなかった。最初の妻となったのは、夫に見捨てられた子持ちで、肺病持ちのマリア・ドミートリエヴナ。同情が熱愛に変わり、尽くしに尽くして結婚にこぎつけたが、ドストエフスキーが持病のてんかんの発作で倒れたときには、妻からすごくイヤなものを見るような視線を向けられ、この女から自分は一度も愛されたことなどなかったという事実を直視せざるをえなくなる。こうして別の若い女たちのもとに走るのだが、彼女たち全員から拒絶されてしまった。

アポリナーリヤ・スースロワという、ドストエフスキーの小説教室の受講生の文学少女（21歳）にもプロポーズしたが、はっきり断られている。なおも食い下がって一緒にヨーロッパ旅行に行くが、途中のカジノにのめりこみ、ほぼ全財産を失った。パリで彼女に追いついたときには「恋人ができた」と告白されてしまった。

回りくどい求婚

1860年代、ドストエフスキーは中編小説『賭博者』の執筆を引き受ける。しかしこれは、期日までに仕上げなければ版元から違約金をとられるし、他作品の著作権まで奪われるというとんでもない契約だった。小説は締め切り間際になっても仕上がらず、窮地のドストエフスキーを助けたのが25歳年下で、アルバイトのタイピストだったアンナ・グリゴーリエヴナ（20歳）だった。

アンナは編集者としての視点も兼ね備え、アドバイスしてくれたので、なんとか『賭博者』は完成した。すっかりアンナが好きになってしまったドストエフスキーは、ある病身の画家と、彼が惹かれる若くて健康な女性が出てくる小説を構想していると話を振って、「もし私がその画家で、あなたが女性だったとします。画家が妻になってほしいと頼んだら、どうしますか……」という実に回りくどい求婚をする。

ふつうなら断られるだろうが、アンナはいじらしいドストエフスキーの真意を理解した上で「私ならプロポーズを受ける、妻になります」と即答してくれた。アンナとの結婚後も、ドストエフスキーはギャンブル沼からは抜けられなかったが、妻の発案で作品を自費出版するようになり、大きな利益を出せるようになった。彼のように自費出版でしか稼げなかった文豪というのは世界的にも珍しい存在ではないだろうか。

1828 - 1882

ロセッティ

詩集のために妻の墓を掘り起こす

イギリスの詩人、画家。ダンテ・ゲイブリエル・ロセッティ。イタリア系亡命詩人の子としてロンドンに生まれる。弟は評論家、妹は詩人。家族全員、ルーツであるイタリア美術やルネサンス文学に関心が強かった。画家としてはミレーらとラファエル前派を結成。絵画に『聖母マリアの少女時代』『聖告』、詩集に『ソネットと抒情詩』など。

捧げた詩が惜しくなり……

ロセッティは複数の女性に「自分が理想とする女性の側面」をそれぞれ割り振って、一人には一つの役割しか求めなかった。青白く、痩せた妻のシダルを好んで絵のモデルにしたが、彼女には「精神」の美だけを求め、つまりセックスレスの結婚生活を強いて、自分は別の女たちと浮気三昧の日々を過ごした。それを苦にしたシダルが家庭用の鎮痛薬だったアヘンチンキをあおって自殺してしまうと、罪の意識に苛まれたロセッティは未発表の詩の草稿とともに彼女を埋葬する。

しかし7年後、詩集を出したくなった彼は亡き妻に捧げた詩の草稿が惜しくてたまらなくなり、知人に頼んでシダルの墓をあばかせた。結果、詩人としても高い評価を得られたのだが、妻への罪悪感は消えず、そのストレスで太り、愛人からは「犀(さい)」と嘲(あざけ)られるようになってしまった。腎臓を病んで亡くなったとき、「シダルの墓に埋葬するのは止めてくれ」と遺言している。

トルストイ

罪深い性欲

1828 - 1910

ロシアの小説家。レフ・トルストイ。貴族で大地主の家庭に生まれる。「悪妻」として有名なソフィアと結婚するが、とくに財産を巡って対立した。世界的人気を博し、偉人として、日本では人道主義・平和主義の武者小路実篤ら「白樺派」に影響を与えた。『戦争と平和』『アンナ・カレーニナ』『復活』など。

「悪妻」ソフィアと結婚した理由

トルストイは、広大な領地を有するロシアの伯爵の家系に生まれた。しかし、若い頃から深刻な容貌コンプレックスを抱えていた彼は、自分の大きな鼻を恥じるあまり、誰からも愛されないという妄想に苦しめられていた。世間的には『内気で恋愛は未経験」ということにしていたが、実際は領地に暮らすアクシーニヤ・バズイキナというグラマラスな美人農婦との間に、2人も婚外子をもうけている。

しかし、彼女が美人すぎて自分の相手をさせるのが悪くなり、「不美人だから」という理由で、のちに「物質主義者」の汚名を着せられ「世界三大悪妻」と呼ばれるようになるソフィアという女性をわざわざ選んで結婚した。このとき、愛人女性と子どもがいるという事実は彼女に隠していた。

妻との交換日記に浮気を記述

トルストイの性欲はすさまじく強く、妻のソフィアは16回妊娠、13人を出産、育児させられている。ベッドの外では性欲を「悪魔」呼ばわりして糾弾しながら、ベッドの上ではその虜になっていたのだ。

20世紀初期の女流ピアニストで、チェンバロという古い時代の鍵盤楽器を復興したことでも知られるワンダ・ランドフスカと親交が深かったトルストイは、「本当に音楽を聴く耳を持つ数少ない人間」と彼女から評されていたが、性欲が高まっている時期は、何を見聞きしてもセックスを連想していたようだ。

ベートーヴェンの『クロイツェル・ソナタ（ヴァイオリンソナタ　第9番　作品47）』を聴いたトルストイは、性衝動に突き動かされている人間の悲喜劇をテーマに書こうと思いつき、音楽と同名の小説『クロイツェル・ソナタ』を発表した。おそらく、この曲の第1楽章や第3楽章のせわしなく移り変わる楽想の変化に、インスピレーションを受けたのだろうが、ベートーヴェンが知ったら噛まれそうな逸話である（ベートーヴェンは、カール・ヒルシュという弟子のピアノが下手すぎて激怒し、彼の肩に噛みついたことがある）。

また、トルストイは男性とも懇意になっていた。トルストイ夫妻には熟年になっても交換日記の習慣があったが、「女性に夢中になったことはないが、男性には夢中になったことが何度もある」という不穏な日記を妻にわざと読ませた。ウラジーミル・チェルトコフというガッチリした中年男性編集者と仲良くなってしまった自分の姿を妻にさらけだし、彼女の反応をうかがいたくなったらしい。妻が激怒すると、非暴力主義・博愛主義を標榜するトルストイは謝るどころか逆ギレした。「何が非暴力よ!」とイタいところを突かれた結果、妻に日記を見せなくなった。

後年になるほど、世界中で翻訳・出版された自作の印税の受け取りを拒否しようとしたり、慈善事業や非暴力主義の運動家としての活動に没頭したのは、性欲の罪に対する禊のつもりだったようにも見えてくる。作品の権利まで手放して貧農になりたいトルストイに対し、ソフィアは1885年に彼の作品の版権を取得し、家族を養った。

トルストイは、チェルトコフと妻の板挟みとなる生活に絶望し、家出した先の駅で死んだ。「人生は遊びではありません」というのが、駆けつけてきた妻に向けたトルストイ最後の言葉だが、あなたがそれを言うのか……という印象はぬぐえない。

マーク・トウェイン

1835 - 1910

アメリカの小説家。本名はサミュエル・ラングホーン・クレメンズ。ミシシッピ川の水先案内人を務めていたことがあり、マーク・トウェインの筆名は川の深さを伝えるための水夫用語に由来する。少年時代の経験から書かれた代表作『トム・ソーヤーの冒険』『ハックルベリー・フィンの冒険』は、現在も広く読まれている。

とんでもない「異世界転生モノ」を書く

マーク・トウェインはアメリカ文学を代表する小説家で、奇想天外な物語を数多く残したが、その想像力が悪いほうへ働く場合もあった。

1863年、ネバダで『エンタープライズ』紙に勤めていた頃、トウェインは一家惨殺事件を捏造。ホプキンスという男が妻と7人の子どもを刺殺し、生首をかかえてカーソンシティにやってきた……という内容で、町は大騒ぎになったが、そもそもホプキンスという男は存在していなかった。ほかにも筆禍事件を起こし、ネヴァダにいづらくなってサンフランシスコに移っている（※飯塚英一『評伝マーク・トウェイン　Ⅰ』）。

コレラ菌に転生したハックルベリー・フィン

1889年、『アーサー王宮廷のコネチカット・ヤンキー』を発表。これは、現代にその伝統が続く「異世界転生モノ」のジャンル最初期の作品だったと言えよう。アメリカ・コネチカット州生まれのハンク・モーガンが昏倒から目を覚ますと、なぜか彼は6世紀の古代イギリス、騎士道精神が華やかなりし時代に転生していた。近代科学の知識を駆使して、大魔術師マリーンをも圧倒する無双ぶりを見せるハンクだったが……という王道の内容である。

児童文学として、今日も親しまれているハックルベリー・フィンのシリーズでも「異世界転生」の展開が描かれている。シリーズ最終巻の『細菌ハックの冒険』では、ハンガリーの魔術師の手によってコレラ菌に転生させられたハックルベリーが「禿げて年老いて衰えた浮浪者」の体内を漂いながら、人語を忘れ、奇妙な細菌言語をしゃべるようになるという異様な結末を迎えている。これもトウェイン特有の豊富すぎるアイデアが災いした例かもしれない。

晩年には口述筆記で自伝も残しているが、想像力ゆえかさまざまな脚色がなされているため、どこまで信憑性があるかは不明である。

ハレー彗星の年に生まれたトウェインは、死の一年ほど前から「来年のハレー彗星とともに世を去りたい」と言っていたのだが、まさに彗星の出現が確認されたその夜に亡くなった。次女・クララとその夫を相手に、ジキルとハイドの二重人格について雑談をしていたトウェインは突然、狭心症の発作を起こして倒れ、最後の言葉は「じゃあまたね、あの世でまた会えるから」だったという。

1838 - 1889

リラダン

高すぎる身分と低すぎる所得

フランスの小説家、劇作家、詩人。オーギュスト・ヴィリエ・ド・リラダン。フランス革命後、没落した実家、リラダン伯爵家の名誉を文学によって回復させようとパリに移住、志半ばで死んだ。ボードレールを通じて、ポーの文学に接し、影響を受ける。『未来のイヴ』『残酷物語』『アクセル』など。

美を追求しすぎてバイト地獄へ

リラダンは、フランス屈指の名門貴族の伯爵家に生まれた。フランス革命の時代を生き抜いた祖父は国王のために家財を投げ出して尽くしたが、国体護持に失敗。父親は狂気の産業技術計画者にして、埋蔵金発掘に血道を上げる冒険家だった。

リラダンの父親は「私が死んでも安心だ、息子にひと財産を残してやれたからな！」と誇らしげに息を引きとったが、実際は莫大な借金だけが残されており、リラダンは高すぎる身分と低すぎる所得の落差に苦しみながら生きることになる。

リラダンは父親から猛烈に反対されながらも、耽美派・象徴派詩人として、ごく一部の読者から評価される文士生活を送っていた。「生きること？　そんなことは召使いどもが私たちのためにやってくれるだろう〈Vivre? les serviteurs feront cela pour nous.〉」という代表作の戯曲『アクセル』の名セリフは我が国でも「生活？ そんなものは召使いがやることだ」という意訳で有名になり、リラダンの文学は、日本近代文学の耽美派や思春期の三島由紀夫にも大きな影響を与えた。

「生活の充実よりも美の追求」というリラダンの美学は、自身の作品が大衆には支持されず、「売れない」という事実に奇妙な満足感を覚えることで自己完結していたと言える。しかし、名ばかりの伯爵であるリラダンの生活は、『アクセル』のセリフのように召使いが整えてくれるものではなかった。原稿を書く紙さえなく、煙草の空き箱の裏に文字を書いたり、インクを水で薄めて使っている。

節約でなんとかならない部分は、人が嫌がる高給アルバイトで稼ぐしかなかった。精神科病院の宣伝係として患者のフリをする仕事や、ボクシング教習場で練習のための殴られ役もした。生き地獄である。

文豪こぼれ話

アンドロイドの由来

リラダンは、小説『未来のイヴ』の中で「人間にそっくりな機械」という意味で「アンドロイド」という言葉を初めて使った人物としても知られており、20世紀以降のSFにも影響を与えた。

ユイスマンス

1848 - 1907

心霊戦争に巻き込まれたオカルト小説家

フランスの作家、美術評論家。ジョリス=カルル・ユイスマンス。パリで生まれたが、オランダの画家一族の末裔。少年時代の母の再婚により女性不信になった。ゾラに影響された自然主義的作風から神秘主義・耽美主義に転じ、小説『さかしま』『彼方』などがヒット。オスカー・ワイルドや詩人のポール・ヴァレリーに影響を与えた。

破戒聖職者・ブーランに師事

ユイスマンスは、フランス内務省に勤める下級公務員として生活しながら、おもに夜中に執筆活動を続けていた。もともとはゾラの説く「自然主義」に刺激されて、フランス下層社会の悲劇を描く社会派作家だったが、まったく売れずじまいだった。そこで悪魔信仰者だと噂される危険な破戒聖職者・ブーランに接近し、若き日には「救国の乙女」ジャンヌ・ダルクの参謀を務めた栄光の過去を持ちながらのちには悪魔崇拝者となった中世フランスの貴族ジル・ド・レを描いた『彼方』など、オカルト小説に転向してからヒットを飛ばせるようになる。

しかし、師匠であるブーランの人間関係に巻き込まれ、目に見えぬ力で相手を攻撃しあうという心霊戦争を経験し、一度は命さえ落としそうになった。内務省の壁にかかっていた大きな鏡がなぜか転落し、ユイスマンスの机に激突する事故が起きたのだが、この日、「役所を休んだほうがよい」というブーランの助言のとおりにしたことで辛くも命拾いできた。

ブーランが敵対するガイタ侯爵の霊力で殺害されると（ユイスマンスは「フィガロ」のインタビューでもそのように主張）、ユイスマンスは危険なオカルトの世界から足を洗う。役所を定年退職したあとは悔い改め、カトリックの聖職者になるという振り幅の大きい余生を過ごした。

フランス王として即位を迫られる

あるときには、遺産を分与したいという怪しい手紙が、マルセイユ在住のロダリア博士なる人物の関係者から何回も届いたので、知人からの勧めもあって当地に渋々出かけてみた。すると素晴らしい四輪馬車に乗せられ、博士の田舎の別荘に連れて行かれることになった。

別荘では一見優雅だが、不気味な人々から取り囲まれる。「この腕輪に見覚えがないか」と聞かれ、ユイスマンスが「ない」と答えると、「思い出してごらんなさい。ご存知だとおっしゃい！」と2人のマダムから詰め寄られてしまう。その指輪は悲劇のフランス王妃マリー・アントワネットのものだったと明かされ、実は彼女はユイスマンスの祖母にあたるのだが、あなたが未来のフランス王として即位するには、ここにいる白衣の娘と結婚しなくてはならない……などと自分が書いている怪奇小説のような出来事に巻き込まれ、命からがら逃げ出したことがある。ちなみにロダリア博士の正体は現在でもまったくわかっていない。

1850 - 1893

モーパッサン

梅毒で狂気に陥る

思春期の頃からセックス中毒で、早い時期に梅毒に感染。20代になると外見と行動の両方に異常が出始め、「彼の顔はボクサーのように腫れ上がっていて、セックスは雄牛のようなすさまじさだった」という。これは1873年、作家仲間のヴィリー・ハースによる証言だが、梅毒によって逆に性欲が高まってしまったのかもしれない（おそらく現代医学的には減衰するものだが、シューマン、ニーチェなど梅毒が疑われる人物がなぜか精力的に活動する意欲亢進期を迎えた例がある）。しかし、その頃すでに彼の視力は落ち、神経障害にも苦しみはじめていた。その後、30代では不眠症と数々の奇行で知られ、「エッフェル塔を見るのが嫌だったので、エッフェル塔のレストランで食事をしていた」という有名なエピソードはこの時代のもの。1884年には娼婦が復讐のため梅毒を感染させまくる短編「二十九号の寝台」を発表するが、42歳で完全に理性を失った錯乱状態となり、その後は精神科病院で短すぎる人生を終えた。

フランスの作家。ギ・ド・モーパッサン。皮肉な眼差しによる人間観察と厭世的な作風で知られ、短編小説に名作が多い。梅毒に罹患していたことはほぼ確実だが、先天説と後天説がある。明治後半から翻訳され、田山花袋、島崎藤村、永井荷風など自然主義の作家たちに影響を与えた。『女の一生』『脂肪の塊』『ベラミ』など。

1859 - 1930

コナン・ドイル

シャーロック・ホームズを書きたくなかった

イギリスの小説家。アーサー・コナン・ドイル。医師だが、「シャーロック・ホームズ」シリーズで推理小説家として世界的に成功。ボーア戦争には軍医として従軍し、ナイトに叙爵された。本人がもっとも前向きに取り組んでいたのは歴史小説『マイカー・クラーク』『白衣の騎士団』などだが、当時は多くの読者を獲得できなかった。

やむをえず「二流文学」探偵小説を執筆

社会的には大成功者だったはずのコナン・ドイルだが、彼は生涯を「いかに生きるべきか」という悩みに取り憑かれて過ごした。

イギリスの中流階級に生まれ、実家の意向でエディンバラ大学医学部に入学する。しかし医学の勉強がイヤすぎて、在学中にもかかわらず、北氷洋行きの捕鯨船へ。名目上は船医、実質的には船乗りの一員として7ヶ月も乗り込んでいた。その後は平凡な成績だが、なんとか卒業にこぎつけている。

医学士と外科修士の学位を得て、医師になってからも自分の能力に自信が持てず実際にヤブ医者気味だったので、職場を転々とすることになった。おまけに若くして妻帯者だったので生活費がかさんだ。それゆえ診察時間の合間にもできる、気軽なアルバイトとして小説の執筆を始めている。

最初は当時の「一流文学」、つまり歴史小説で大家を目指すが、そこそこの評価しか受けられず、生きるために「二流文学」とされた探偵小説の執筆に手を染めたのが1886年。名探偵ホームズとその助手のワトソンが登場するシリーズ記念すべき第一作、『緋色の研究』に着手し、わずか1ヶ月後に作品を完成させているが、最初は掲載誌すら見つからなかった。しかし翌年末、「ビートンズ・クリスマス・アニュアル」なる雑誌の片隅にようやく掲載された『緋色の研究』は一躍人気を呼び、単行本化にも成功する。その後、コナン・ドイルが大人気作家になるのに時間はかからなかった。

ホームズの殺害を計画するも……

コナン・ドイルは、眼科医の資格がないのになぜか眼科を開業した。当然、患者は集まらず、経営に失敗。それゆえ妻子を養うべく、ホームズものの執筆にいそしむ日々が始まった。

しかしホームズの生みの親でありながら、「二流文学」探偵小説でしか稼げない自分に納得できないコナン・ドイルは「文学的にレベルが低いと見なされているのではないかと思った。そこでわたしの決意表明として、主人公の命を絶つことに決めたのだ」と、青臭い「殺意」を固める。

それでも1年以上迷った上で、1893年に発表された『最後の事件』のラストでシャーロック・ホームズを大悪人・モリアーティ教授と相打ちさせるかのように、「死の淵」と呼ばれたスイス・ライヘンバッハの滝壺に落として殺害、シリーズを打ち切ることに成功した……かのように見えたが、やはり生活資金の問題で、殺したホームズを無理やりに復活させ、シリーズ再開に踏み切らざるをえなくなった。

最終的にホームズを書く苦しみを、スピリチュアルの世界に埋没することで癒そうとしたコナン・ドイルは、イギリスを代表するオカルティストになってしまった。晩年は『エクトプラズムの謎:絶対的証拠』『妖精物語:実在する妖精世界』といった怪しげな本ばかり出版しようとして、編集者を困らせている。

文豪こぼれ話

ホームズばりの推理力

コナン・ドイルは正義感が強く、家畜傷害事件で有罪の判決を受けたインド人青年の無実を、ホームズばりの推理で証明したことがある。また、裕福な老婦人の殺害事件ではユダヤ系男性が逮捕されたが、この時代特有の反ユダヤ主義に流されがちな世論に立ち向かい、女中による証言がいつわりであることを見抜いて判決を覆した。

チェーホフ

1860 - 1904

美貌へのこだわりと死への恐怖

ロシアの小説家、劇作家。アントン・チェーホフ。南ロシアの港町に雑貨商の三男として生まれたが、16歳のとき実家が破産。モスクワ大学医学部に通いながら、家族を養うため短編小説などを執筆しはじめる。医者になったあと、かつてドストエフスキーを文壇に送り出した老作家・グリゴローヴィチの忠告で本格的な作家活動を開始した。

オシャレのために借金

「人生は一度しか与えられていない。大胆に、注意深く、美しく生きたい」。まるで19世紀後半のオーストリア帝国のエリザベート皇后のような価値観だが、4大戯曲『かもめ』『ワーニャ伯父さん』『三人姉妹』『桜の園』や、多くの優れた短編小説を生んだロシアの文豪チェーホフの格言である。チェーホフはファッショナブルで、美しく見えるためなら借金も厭わなかった。

メガネがトレードマークのイメージがあるが、もともと37歳のとき、視力が悪化してかけることになっただけで、本人は、メガネを自分の美貌を損ねるものだと考え、イヤがっていたらしい。

チェーホフ（アメリカ議会図書館）

しかし、チェーホフはやがて、加齢による外見と健康状態の悪化も、オシャレなアイテムがなんとかしてくれることに気づいてしまった。いいデザインのメガネのほかには高価なネクタイや、当時流行した「ヴェラ・ヴィオレッタ」というフランス製の香水をつけることによって、30代後半なのに「28歳のピチピチの青年」に見えることに成功したと嬉しそうに語っている。代表作『ワーニャ伯父さん』にも「人間というものは、何もかも美しくなくてはいけません。顔も、衣装も、心も、考えも」というセリフを登場させた。

結核に冒された最期

1897年3月、大量喀血をしたチェーホフはモスクワの病院に担ぎ込まれてしまった。そこにチェーホフが肺を病んでいると聞きつけたレフ・トルストイが見舞いに来て、「魂の不死」について熱心に語った。宗教の押し売りのようなトルストイに、チェーホフは「そういう不死なら私には不要です」とつぶやいた。

あまりに極貧だった医学生時代に心身の健康を損ねたチェーホフは、もはや神や救済など信じていなかったようだ。成功後のチェーホフが若さや美しさにこだわったのも、苦しかった時代と、それによって衰えた自分自身を取り戻そうとしていたのだと考えられる。

実は20代の頃から喀血は始まっていたのだが、チェーホフは医者であるにもかかわらず「血が出るのは胃が悪いからだ、結核ではない」と他人だけでなく、自分にも言い聞かせていたらしい。

死を見つめるのが、恐ろしかったからである。

チェーホフ最後の年となった1904年、善良だが時代についていけなくなった没落貴族を描いた舞台『桜の園』が上演され、絶賛を浴びた（のちには太宰治も本作に影響され、「日本の『桜の園』が描きたい」と言って『斜陽』を書いた）。日露戦争中だったが、チェーホフは、ときのロシア皇帝・ニコライ2世の暴虐を日本なら止めてくれるのではないかと期待していたらしい。その一方で、軍医として戦地に行けるかもしれないと考えていたという。

しかし、あれよという間に体調は衰え、南ドイツのバーデンヴァイラーというところにあった療養所で亡くなった。もう危ないというとき、なぜかほとんどしゃべれなかったはずのドイツ語で「Ich sterbe（私は死ぬ）」と囁き、女優だった妻が差し出したグラスのシャンパンを飲み干したチェーホフは「ずいぶんと長い間、飲まなかったね」と微笑んでから亡くなった。やさしさと虚無が交錯する彼の文学にふわさしい最期である。

1866 - 1943

ビアトリクス・ポター

きのこ学者の道を挫折

イギリスの女流作家、児童書の挿絵画家。ロンドンに生まれ育ったが、両親（とくに母親）との折り合いが悪く、感情を押し殺した少女時代を過ごさねばならなかったという。この頃から、田舎や動物に憧れていた。紆余曲折の末、36歳のときに『ピーターラビットのおはなし』を出版し、ベストセラー絵本作家となる。

両親との確執

ポターは、30歳までかなり本気できのこを研究し、菌類学者を目指していた。しかし大英帝国時代、つまり19世紀後半のイギリスでは女性が職業科学者になることは困難だった。挫折した彼女は、科学的研究で得た動植物の知識を背景に独特の絵本づくりを開始する。

きのこ研究にしても絵本づくりにしても、彼女は上流階級の令嬢らしからぬ行動ばかりとったので、保守的な母親との関係はこじれる一方だった。1902年、『ピーターラビットのおはなし』で絵本作家としてデビュー、大きな反響を呼ぶが、母親との折り合いはますます悪くなってしまう。そこで1905年、湖水地方のヒル・トップ農場が売りに出されたことを知ったポターは、印税と伯母の遺産をつぎ込んで牧場を買い取った。家族には「投資」と言いながら、単独で移住している。

牧場で暮らしながらも、ポターはしばらくの間、ピーターラビットの商品化に熱心に取り組んでいたが、やがて絵本づくりや執筆活動への興味関心が完全にうすれ、ほぼ専業で羊飼いをやるようになってしまった。この頃には服装にまったく構わなくなり、ボロボロの衣服で通したので、ホームレスから「仲間」だと間違えられたことさえある。

晩年にはウォルト・ディズニーからピーターラビットのアニメ映画化をオファーされたが、断ってしまっている。「長編アニメは粗が出やすい」という理由だったが、やりとりが面倒くさくなったのかもしれない。

亡くなったとき、当時では異例の火葬を希望し、羊飼いのトム・ストーリーを指名して遺灰は農場に撒くよう指示したが、なぜか夫には場所を教えようとしなかった。ゆえに現在でも、ポターの墓の場所は不明ということになっている。

文豪こぼれ話

「ピーターラビット」の日本名

ピーターラビットは病気の子どもたちを楽しませようと、人間の服を着せた動物たちのスケッチを描いたことから生まれたキャラクターである。最初に日本語に翻訳されたとき、ピーターラビットの名前は「ピン太郎」だった。

トーマス・マン

美しい若者が大好き

1875 - 1995

ドイツの小説家。北ドイツのリューベックにおいて、数代続いた物商の家に生まれる。19歳で学校を中退、ミュンヘン大学の聴講生となるが、兄・ハインリヒと同じ作家の道に進んだ。『ヴェニスに死す』など短編を少し書いたのち、大長編『魔の山』を完成させノーベル文学賞を受賞。『ブッデンブローク家の人々』など。

少年の美貌から生まれた『ヴェニスに死す』

トーマス・マンは、小説はともかく、日記の中では女性の美しさについてはほとんど語らず、逆に男性の美しさについては饒舌に語っている。のちにルキノ・ヴィスコンティが映画化する『ヴェニス（ベニス）に死す』では、疫病が蔓延する夏のヴェネツィアの巷を背景に、謎の美少年タッジオと、彼に翻弄されるアッシェンバッハという中年男性の作曲家を登場させたが、アッシェンバッハがマン自身なら、タッジオにもヴワディスワフ・モエス男爵という実在のポーランド人貴族のモデルがおり、マンがヴェネツィアを訪れたときまだ11歳だった男爵の美貌に心を奪われたことが執筆動機となっている（ちなみにモエス男爵も、ジロジロ見てくるおじさんとしてトーマス・マンを記憶していたらしい）。

〈同性愛には美の祝福以外の祝福はなく、これは死の祝福です〉とも語るマンだが（※『結婚について』／高山「トーマス・マンと女性」）、それはマンが、男性の美しさ以外に興味がないという告白にほかならない。男女で結婚して、我慢しあって道徳を守り、子どもをつくって世代をつなげていくこそが大事……などとマンは説教臭い人生論を説いたが、これはまさに若く美しい男性に心惑わされがちなマンが、自分自身に「落ち着け、地に足をつけろ」と言い聞かせているセリフなのだろう。

そんなマンは60歳のときに、上半身裸の植木職人を〈大きな喜びと感動をもって〉観察したと日記に書いているし、75歳になってもホテルのボーイに熱い情熱を感じていた。いくつになってもマンは若く美しい男性が好きだった（※林進「トーマス・マンと三島由紀夫」）。

もっと自由に生きられたらよかったのに……と現代人には思えるが、マンが自由自在に生きていたら、彼の文学はまったく違うものになっていただろうし、ヴェネツィアで11歳の美少年男爵に手出しして逮捕され、社会的に「ヴェニスに死す」だったかもしれない。

1877 - 1962

ヘルマン・ヘッセ

逃げ癖がひどすぎて悪魔祓いされる

ドイツ、スイスの小説家・抒人。南ドイツのヴュルテンベルクに宣教師の子として生まれる。多くの挫折の末、バーゼルで書籍と古書販売を行っていた。戦時中はナチス政権の圧力を受ける。『ガラス玉演戯』を執筆し、1946年のノーベル文学賞を受賞した。『車輪の下』『デミアン』など。

実体験に基づいていた『車輪の下』

戦後日本では国語教科書に掲載された『少年の日の思い出』で馴染み深いヘルマン・ヘッセ。昆虫標本が趣味の主人公が、友人のクジャクヤママユの標本を出来心で盗んで壊し、謝罪を試みるが「そうか、つまり君はそういうやつだったんだな」と軽蔑されるだけだったという後味の悪い内容を記憶している読者も多いだろう。ヘッセの描く青春の多くは、ほろ苦い。

親や周囲の期待を受けて勉学に励んだものの、進学先の神学校で精神のバランスを崩して逃走、故郷に戻る青年・ハンスを主人公とした『車輪の下』も有名だが、ヘッセ自身、マウルブロン神学校から逃走している。

信心深い両親は「息子は何かに取り憑かれているのではないか」と心配し、知り合いの牧師によるエクソシスト（悪魔祓い）の儀式を受けさせた。しかし、すべてはヘッセの逃げ癖が原因なので儀式の効果などはなく、その後も自殺未遂を図って神経科病院に押し込められたり、学校を変えても続かず、本屋の見習い店員になったのちに3日で脱走するなど、逃走につぐ逃走の青春を過ごした。

文豪こぼれ話

13歳で詩人を志す

ヘッセは幼い頃から精神的に不安定だったが、父親も抑うつで入院したのを見て、それが遺伝的なものであることを悟った。13歳のときには「詩人になるか、でなければ何にもなりたくない」と決めている。

フランツ・カフカ

1883 - 1924

自己肯定感が低すぎる

チェコ・プラハ生まれのドイツ語作家。精力的な父親に圧倒され、気弱で病弱な息子として成長する。1917年から結核を患ったので、市役所の役人を辞め、ベルリンに出て職業作家となる。病気が悪化し、プラハに一度戻ったが、最後はウィーンに出て、その郊外のサナトリウムで死去。『変身』、未完の『審判』『城』など。

ネガティブすぎて結婚できない

〈いちばんうまくできるのは、倒れたままでいることです〉。カフカの手紙の中でもっとも有名な一節だが、結婚を意識していたフェリーツェという恋人への手紙が出典である。同じ手紙の中で〈将来にむかって歩くことは、ぼくにはできません。将来にむかってつまずくこと、これはできます〉とも言っているが、これはカフカが29歳のとき市役所の役人として出世を重ねていた頃の言葉だった。つまり、社会的評価に関係なく、自己肯定感が低いのである（※頭木弘樹 編訳『絶望名人カフカの人生論』）。

カフカはハンサムだったので、女性からはモテた。しかし、ネガティブすぎるカフカは男としての自信が持てないので、交際が進展し、「結婚」の二文字が目の前にチラついてくると、「あなたが好いてくれている私は本当はこんな雑魚なんです」という厄介な告白をせずにはいられないのである。それでも相手がたじろかなかった場合、婚約中でも別の女性に恋をしてしまう悪癖まであった。

フェリーツェ・バウアーとは2回、婚約と解消を繰り返して破局。その後ユーリエ・ヴォリゼクと婚約するが人妻のミレナ・イェセンスカ・ポラクに恋をして解消、ミレナとの関係もやがて解消。その後、ドーラ・ディアマントとは同棲するが破局している。

文豪こぼれ話

電報ひとつで苦悩

ミレナと恋人だった頃、一緒に郵便局に行ったことがあったが、カフカは電報をどの窓口で出すか迷いに迷い、やっと精算しても、あとからおつりを多く払ってしまったことに気づいてショックを受けていた。ミレナは「フランツには生きる能力がない」と振り返っている。

1885 - 1930

D・H・ロレンス

『チャタレー夫人の恋人』でフェチ開陳

イギリスの小説家。ノッティンガム近郊の炭鉱労働者の家に生まれ、言い争う父母を見て育つ。ノッティンガム大学卒業後はロンドンで小学校教員をしつつ、現代社会における性愛をテーマに執筆する。日本では、伊藤整による『チャタレー夫人の恋人』の全訳版について、セックス描写の是非をめぐり通称「チャタレー裁判」が戦われた。

もとのタイトルは「ちんことまんこ」

ロレンスは一時期、男女を集めて「ラーナニーム」というセックス共同体をつくろうと夢想するほど「性愛が世界を救う」という思想の持ち主だったが、彼の最後の作品となった『チャタレー夫人の恋人』は、イギリス本国だけでなく、世界中で大きな物議を呼んだ。今日まで何度も映像化されているが、それぞれの作品でラストシーンがまるで違うのは興味深い。

原作のラストシーンは、文字通りチャタレー夫人の恋人である森番メラーズという男から送られてきた手紙の引用で終わっているのだが、これが大変な内容で、「メラーズのちんこ（ジョン・トーマス）が、夫人のまんこ（レディ・ジェーン）に会いたがっている」というのである。「ジョン・トーマス」とは、19世紀末からイギリスで使われていた「ペニス」の俗語、つまり「ちんこ」という意味で、数百ページにも及ぶ長編小説の最後がこれなので、一体、われわれは何を読まされてきたのか……と唖然としてしまうのだ。

ちなみに『チャタレー夫人の恋人』は第三のタイトルで、第二のタイトルは『ジョン・トーマスとレディ・ジェーン』、つまりその名も「ちんことまんこ」であった。作品のラストどころかタイトルの時点でひどかった。ロレンスの生原稿をタイプし、清書していたバイトの女性が「こんな作品は嫌だ」と辞めてしまったので、知人の妻に作業をお願いして完成している。

ロレンスは『チャタレー夫人の恋人』において、当時の理想的な男性の外見基準を満たさない自分自身の身体的特徴の数々を森番のメラーズに反映させている。「森番の男」と聞いたわれわれが想像するのはマッチョな男性だろうが、原作のメラーズの身体は30代になっても少年のように細く、肌の色も白いが、セックスだけはやけに強いのはこのためだ。

ほかにも、同作でロレンスはお尻という部位へのこだわりや、男女が同時に達することに対する奇妙なまでのフェティシズムを開陳しまくっている。濡れ場の描写は詩的でさえあるが、全体を通じて言えば、なかなか怪しいものを読んでしまったという感想を持たずにはいられない「名作」である。

1890 - 1976

アガサ・クリスティ

生涯沈黙した謎の失踪事件

イギリスの小説家。本名はアガサ・メアリ・クラリッサ。裕福な家庭の末っ子として生まれる。1914年、空軍大佐アーチボルト・クリスティと結婚。看護師・薬剤師として働き、薬物の知識を得る。『スタイルズ荘の怪事件』でデビュー。『そして誰もいなくなった』『オリエント急行の殺人』など。通称「ミステリーの女王」。

世界を騒がせた11日間の失踪

1926年12月3日夜、ロンドン近郊・サニングデールの邸宅から「ドライブに行く」と言って出かけた36歳のアガサ・クリスティは姿をくらませ、11日後、イギリス北部の保養地・ハロゲートのホテルに、テレサ・ニールという偽名で滞在しているところを発見された。ニールとは夫・アーチボルトの愛人だったナンシーのファミリーネームで、当時のアガサはアーチボルトからナンシーと結婚したいと別れを切り出されており、深く傷ついていた。

発見当初、医師はアガサを「記憶障害」と診断したが、いつから自分がテレサ・ニールではなく、アガサ・クリスティだという記憶が戻っていたのかなど、実は何もわかっていない。最初からすべて狂言で、どうせ別れるのなら、夫と愛人に傷跡が少しでも残るように暴れ、ミステリー作家として売名してやろうと考えていたのか、それとも身勝手な夫の言い分に深く傷つき、他人になって生きて心の傷を癒そうとしていたのか――アガサはマスコミからのインタビューは絶対拒否することで知られていたし、日常生活に戻ったあとも、この事件については誰にも語らず、自伝にさえ一行も書かなかった。

わかっているのは「ミステリーの女王」アガサ・クリスティ失踪事件を面白おかしく報道しまくったマスコミのおかげで、全世界にアガサの顔と名前と作風が知れ渡り、既刊がさらに売れ、「アーチボルト・クリスティ夫人」として夫から扶養されずともペン一本で食べていけるようになったという事実だけである。

1928年、アガサはアーチボルトとの離婚に同意し、1930年にはエジプトで出会った年下の考古学者マックス・マローワンと再婚しているが、作家としては最初の夫の姓・クリスティをなぜか名乗り続けた。

文豪こぼれ話

「主婦」であり続けた

アガサは本を10冊出版しても自身をプロの作家だとは考えず、書類には「主婦」と記入していた。「寝室にあった大理石の天板の洗面化粧台は、いい執筆場所になった。食事の合間の食卓もよかった」とも発言。彼女の執筆活動に、夫が微妙な反応を示していたからだろうか。

ヘンリー・ミラー

1891 - 1980

愛人女性を妻と共有

アメリカの作家。ヘンリー・ヴァレンタイン・ミラー。ニューヨーク生まれ。父からもらった大学の学費でアメリカ南西部とアラスカを旅した。職業を転々とした末に作家となる。パリに9年間滞在し、当地で執筆した自伝的小説『北回帰線』『南回帰線』は大胆な性描写で有名。性の解放と機械文明批判を執筆テーマとした。

ゆかいな三角関係

1931年、フランス・パリに滞在中のアメリカ人作家ヘンリー・ミラーは、アナイス・ニンという女性作家と出会い、親しくなる。ニンは少女時代、実の父親の「恋人」となり、愛しあった過去を持っていた。ニンの言葉を借りると、ミラーは〈強引〉かつ〈粗雑〉で、女性は男性から守られるかわりに、男性に奉仕するという型通りの恋愛を望んでおり、二人の間に肉体関係はあったが、恋人同士というわけではなかった。

ミラーは既婚者で、ジューンという美しい妻をアメリカに残していた。ジューンがミラーを訪ねてパリに遊びに来ると、ニンも紹介されている。しかし、ニンはヘンリーを飛び越え、ジューンのことを本気で愛してしまうようになり、〈ヘンリーが色あせて見えます〉と熱烈な恋文を彼女に書き送った。ジューンは〈あざやかで、光り輝き、とても変わって〉おり、〈この世でもっとも美しい女性〉だとニンは感じた。〈あなたの狂気を一緒に感じさせていただきたいわ〉とも告白している。

やがて3人は、公然たる三角関係になった。ニンは11歳のときから亡くなるまでの日記をほぼ毎日書き続けていたが、そこにも〈午後はヘンリーが来ることになっていますし、明日はジューンと出かける予定〉と書かれている（※『ヘンリーとジューン、アナイス・ニン無削除日記』／出淵 訳『恋する作家たち』）。

ニンとジューンは惹かれあい、お互いの宝石を交換したり、似たようなドレスを着たりした（ジューンは古くて黒いドレスを好んで着ており、真似をしたくなったニンが同じようなドレスを手に入れた）。ニンとジューンはキスまではしたが、それ以上の関係を持つことはなかった。プラトニックな恋に興じる彼女たちを抱くのは、ヘンリーの仕事というわけだ。

おそらく、ジューンの夫であるという理由でニンはヘンリーにも恋するようになり、ジューンがアメリカに帰ったあと、彼とも正式な恋人になった。当初、型通りの恋愛を望んでいたヘンリーとの関係も変化し、「あなたは私ではなく、ジューンのことを考えているだろう」と言って嫉妬しあった。ねじれた関係だが、楽しそうではある。

1896 - 1940

フィッツジェラルド

ヘミングウェイと妻との三角関係

アメリカの作家。フランシス・スコット・キー・フィッツジェラルド。第一次世界大戦後に空前の繁栄期を迎えた「ジャズ・エイジ」のアメリカを捉えた『グレート・ギャッツビー』で一躍有名になる。未完の遺作『最後の大君』を2022年に村上春樹が翻訳した。代表作『美しく呪われた人たち』『夜はやさし』。

「フェアリー」「キチガイ」と罵りあう

フィッツジェラルドが作家としてもっとも輝いていたのは1920年代で、美しいが情緒不安定な妻・ゼルダとは依存しあい、ともにアル中気味で、贅沢な消費生活に耽溺する日々を過ごしていた。1924年、夫妻はアメリカからフランスに移住し、パリや南仏に滞在した。フランスではアーネスト・ヘミングウェイと知り合い、仲良くなる。

しかし、ヘミングウェイの才能と人柄に惚れ込んだフィッツジェラルドにゼルダは批判的で、ヘミングウェイは大げさなだけの「ニセモノ」で「フェアリー（「おかま」の意味）」だと罵った。また、夫婦のセックス頻度が下がったことに怒った妻から「あなたも本当はフェアリーなんでしょう」とヘミングウェイとの浮気を疑われ、フィッツジェラルドは疑いを晴らすため、娼館に行こうとした。「フェアリー」呼ばわりされたヘミングウェイも黙っておらず、妄想癖がすごいゼルダを「キチガイ」だと主張した。

彼らの批判は、お互いに間違いとは言えないのがイタいところである。ゼルダも小説を書いていたので、観察眼は鋭かった。

文豪こぼれ話

自伝的小説の内容が重複して激怒

精神科病院に入院中のゼルダは1932年に自伝的小説『ワルツは私と』を書いたが、フィッツジェラルドはその内容が執筆中の自分の作品と重複していたため激怒した。フィッツジェラルドに言わせれば、ゼルダの入院費用をまかなうため、崩壊寸前の自分たちの結婚生活を世間に晒すような恥ずかしい小説を書いているのに、お前まで同じテーマで小説を書くなんてもってのほかだ……という理屈である。養われている手前、ゼルダは引き下がらざるをえなかったが、フィッツジェラルドが完成させたその作品が、名作『夜はやさし』である。

ヘミングウェイ

1899 - 1961

「男らしさ」と女装癖の相克

20世紀アメリカを代表する大文豪。アーネスト・ヘミングウェイ。シカゴ郊外の町オーク・パークに生まれた。第一次・二次世界大戦やスペイン戦争に参加。「ハードボイルド」と呼ばれる独自の世界観の小説で頭角を現す。『武器よさらば』『誰がために鐘は鳴る』、ノーベル文学賞を受賞した『老人と海』など。

ヘミングウェイは幼少期、アクティブでタフな医師の父親からボクシングやフィッシング、狩猟などいかにも男らしいマッチョ趣味を叩き込まれ、自身の行動原理、そして文学を貫く核はすべて「男らしさ」となった。一方で、元声楽家の母は、幼い彼に姉と同じ格好をさせ、女の子の双子のようにして育てた。男の子に女装させて育てるのは当時の上流社会の風習ではあるが、その結果か、成長したあとも女性の美しさに憧れ、女性化願望を持つようになる。

ヘミングウェイは第一次世界大戦後のパリに滞在中、最初の妻・ハドリーと「男女の別を超越した愛の行為を寝室で重ねた」という。つややかな長い髪の女性に憧れ、ハドリーの証言によれば彼女と同じくらいに髪を長く伸ばしていた。『武器よさらば』にも、ヘミングウェイとハドリーをモデルにした男女が「髪を伸ばせば、私たちは同じように見える」と会話するシーンがあり、幼少期からのマッチョ志向と、女性化願望が絶妙に調和した幸福な時期だったようだ。

二日連続で飛行機が墜落

アメリカでの彼は、戦争で活躍した国民的英雄だった。男性雑誌でも釣りや狩りを楽しむ姿を見せ、「パパ・ヘミングウェイ」として親しまれたが、アメリカに戻った頃から、心身のバランスを崩しはじめた。きっかけとなったのは、二日連続で乗っていた飛行機が墜落、なんとか生還するという事件だったようだ。

1954年、4番目の妻・メアリーとともにアフリカを訪れたヘミングウェイはウガンダ北西部のマーチンソンの滝を見に行こうと小型飛行機に乗りこんだのだが、電線に触れた機体が墜落し、川に落ちたところを舟に助けてもらっている。

その翌日、ヘミングウェイが乗り込んだ飛行機が機体炎上を起こし、コックピットのガラスを頭突きで割って命からがら脱出。大火傷、打撲、脱臼、脊椎損傷、左目の一時的失明などで死にかけたのだが、「ヘミングウェイ死去」の誤報が飛び交い、新聞の見出しにもなった。多少回復したヘミングウェイは酒を飲みながら、自分の死を告げる新聞を読んで笑っていたという。

しかし、奇跡の代償は大きかった。事故以降、被害妄想に苛まれるようになったヘミングウェイは『老人と海』で受賞したノーベル文学賞の式典にさえ、「健康」を理由に出向くことができなかった。深刻なうつ状態に陥るが、心療内科を受診しようとはしなかったという。やがて彼は原稿が一行も書けなくなり、最終的に猟銃自殺に追い込まれている。

1911 - 1983

テネシー・ウィリアムズ

寂しがり屋すぎる

20世紀中盤のアメリカを代表する劇作家。トマス・レイニア・ウィリアムズ。アメリカ南部のミシシッピ州生まれ。舞台関係のさまざまな職についたのち、戯曲『ガラスの動物園』で大成功。『欲望という名の電車』『やけたトタン屋根の猫』など数々のヒット作を生むが、60年代以降、長いスランプに入る。作品の多くは南部アメリカが舞台。

ひとりがイヤすぎてルームメイトを雇う

テネシー・ウィリアムズは1950年代から酒と薬に溺れるようになり、妄想と中毒症状の中で多くの時間を過ごすようになってしまう。しかし、90代まで壮健だった祖父や母親などの超健康優良遺伝子が災いし（?）、健康不安をしきりに訴えるわりには重い病気しらずだった。まじめに仕事机には向かっていたが、とうとうロクな新作が書けなくなってきた1970年代、ひとりでいるのがイヤすぎて、さまざまな男性を「ルームメイト」として週200〜300ドルで雇って同居させていた（当時の相場で1ドル＝360円）。

寂しさを癒してくれる愛犬のことは深く愛し、1976年、カンヌ映画祭の名誉審査員に選ばれたが、自分のために開かれた歓迎パーティに「愛犬のブルドッグ同伴でないと行けない！」と言い張って、欠席している。

彼は71歳のとき、ラリって目薬の蓋を飲み込んでしまい、それを喉に詰まらせて事故死した。メキシコ湾に遺灰を撒いてほしいと遺言したが、名家の出身であるがゆえに聞き届けられず、心底嫌っていた町・セントルイスにある一族の墓に埋葬されてしまった。

文豪こぼれ話

三島由紀夫との交流

1957年、テネシーはニューヨークで三島由紀夫と出会い、親しく交流するようになる。ドナルド・キーンが英訳した戯曲集『近代能楽集』がアメリカで好評で、そのプロモーションも兼ねて三島はアメリカを訪れていたのである。しかし、『近代能楽集』の舞台化計画が頓挫したので帰国しようとした三島に、テネシーの秘書が「帰る前にテネシーに手紙を書いてやってほしい。ほんの2、3行でいいから」と頼んだ。テネシーは電話ではなく、手紙でないと孤独を癒せなかったらしい。

マルグリット・デュラス

1914 - 1996

毒親から利用されて愛をこじらせた

フランスの小説家、映画監督。仏領インドシナ（現在のベトナム）に生まれる。18歳でフランスに戻り、パリ大学で法律と数学を学ぶ。『モデラート・カンタービレ』から、単純なストーリー展開を脱却した文学を模索。女性の愛や狂気をテーマとし、瀬戸内寂聴らに影響を与えた。『愛人』は映画化されたが、本人は出来に不満だった。

愛されず、愛さない関係を望んだ

１９９０年、とあるインタビューの中で、マルグリット・デュラスは「私は愛について書いているが、やさしさについては書いていない」、「私は誰かを愛するとき、欲望する」と発言した。「私はやさしい人間が嫌い。自分をとても厳しい人間だと思う」とも語っているが、過去にはナチス・ドイツへのレジスタンス活動で収容所に入れられた当時の夫で、作家のロベール・アンテルムが解放されると、デュラスは実に親身に彼の看病をしたことが知られている。しかし、アンテルムが元気になった１９４６年、彼とは離婚してしまった。彼女の中では、愛は欲望にほかならず、やさしく接しなければいけない相手には欲望など抱けない、愛せないという理屈だろうか。

マルグリット・デュラスは、フランス領インドシナに暮らす、貧しいフランス人一家の娘として少女時代を過ごした。母親から愛されたい一心で、望まれるまま15歳で少女売春に手を染めており、まさに1984年、彼女が70歳の時に出版された『愛人(ラマン)』そのままの光景である。その後も母親から利用され続ける日々は18歳まで続いたという。また、自分を買っていた華僑の男性を「愛していた」と発言して物議を呼んでいるが、のちに『愛人』という作品に結実する10代の経験は、小説のようにロマンティックなものではなく、相手の男は粗野で大変だったらしい。

そんな男を「愛していた」とはどういう意味なのか。おそらく、その男性との関係の中で、デュラスは女性として性愛的に花開き、同時に「私にとっての愛は欲望と同じ」という価値観が確立され、その後の彼女の人生を一変させてしまったと言いたかったのではないか。

作家として大成した晩年は、デュラスの大ファンであるというだけで、社会性がなく、アルコール中毒のジャン＝バティスト・レメというゲイ男性に、ヤン・アンドレアという名前をつけ、最後の伴侶とした。まさにデュラスが好むテーマのひとつ「不可能な愛」だが、のちにヤンには『デュラス、あなたは僕を本当に愛していたのですか』という回想録を書かれてしまったように、ヤンが彼女を慕ったほどには彼を愛そうとしなかったとされる。しかし、デュラスにしてみれば、同性愛者のヤンから愛されず（欲望されず）、自分も愛さない（欲望しない）程度の関係が、意外に心地よかったのかもしれない。

1919 - 2010

サリンジャー

犯罪者に愛されて禁書化した『ライ麦畑でつかまえて』

アメリカの小説家。ジェローム・デイヴィッド・サリンジャー。ユダヤ人の裕福な貿易会社経営者の子としてニューヨークに生まれる。戦時中はノルマンディー上陸作戦に参加。思春期特有の少年の心理と不安を描いた『ライ麦畑でつかまえて』で名声を得た。交際していた女性をチャールズ・チャップリンに奪われたことがある。

『ライ麦畑でつかまえて』のヒット、その後

サリンジャーは極度の秘密主義者だった。『ライ麦畑でつかまえて』が大ヒットすると、彼は都会ではプライヴァシーが守れなくなることを恐れ、ニューハンプシャー州のコーニッシュというかなりの田舎町に移住する。当地の高校生たちと親しくなり、学校の壁新聞に載せるという約束でインタビューに応じたが、内容を大新聞にリークされると激怒し、地所のまわりに高さ2メートル以上の塀をめぐらせ、他人に入られないように囲ってしまった。

その後も教会の行事などには出席したが、人と積極的に関わろうとしない生活を続けた。人嫌いが嵩(こう)じて創作さえ億劫になったらしく、大ベストセラー作家にもかかわらず、ほとんど作品を出版していない。1985年、自分の書簡をもとに伝記が書かれた際には、刊行に異議を唱えて

裁判を起こしている。高すぎる壁に囲まれた家で孤独に暮らし続け、91歳で老衰死した。

なぜ、彼は田舎町で隠者のような暮らしを送り、新作の発表をしなくなった(できなくなった)のか? そこには、作品が禁書扱いされていたという事実が密接に関わっているように思える。

犯罪者に愛読され…

『ライ麦畑でつかまえて』は1951年7月にアメリカ国内で発売されてからすぐさま大ベストセラーになったが、同国内の学校や図書館でもっとも検閲された本としても有名で、いまだに禁書の扱いを受けている。

50~70年代は、世間に馴染めなかったサリンジャー本人を思わせる主人公のホールデン・コールフィールドという4つめの高校をドロップアウトしたばかりの少年が、未成年なのに酒で苦痛を和らげ、「Fuck」などのF word(不適切言語)を多用し、喧嘩したり、娼婦を買おうとしたりといった行動全般に含まれる「反抗性」が問題視された。

さらに80年代になると、音楽家ジョン・レノンの殺人犯、ロナルド・レーガン大統領の殺人未遂犯、そして女優レベッカ・シェイファーのストーカー殺人犯たちがいずれも『ライ麦畑でつかまえて』の愛読者であったことから、違う意味で官憲から目をつけられてしまった。

19世紀の「狂王」ルートヴィヒ2世や、ナチスのアドルフ・ヒトラーに愛好されたことでリヒャルト・ワーグナーの音楽が「弱い者を奮い立たせ、陶酔させる音楽」というレッテルを貼られたのと同様に、サリンジャーの『ライ麦畑でつかまえて』も、3人の重大事件の犯人から愛されてしまったことで、アメリカでは永久に「やばい本」の扱いを受ける運命となったのだ。

どこがそんなに「危ない」本なのか？ オリジナルタイトルにもある「the Catcher in the Rye（それっぽく訳すなら『ライ麦畑の捕まえ手』）」は、ホールデン少年が自分の夢として、ライ麦畑の端の崖っぷちに陣取り、こちらに向かって走ってくる子どもたちをキャッチして奈落に落とさないようにする人間になりたい、と語る第22章の終わりのシーンが由来になっているようだ。

しかし、サリンジャーや作中のホールデン以上に人生をこじらせてしまっている「問題児」たちが、この部分に「彼なら自分をキャッチしてくれる」「わかってくれる」と妄想を募らせてしまうらしい。該当箇所に具体的な問題があるわけでもないし、ホールデン少年が夢見る「ライ麦畑の捕まえ手」も決して異常なものではなく、宮沢賢治の『雨ニモマケズ』の詩で語られている「ワタシ」がなりたい理想の人間像に近いだけのような気もするのだが……。

いずれにせよ、２００６年までは全米図書館協会の発表する禁書の上位リスト常連本だったという事実には驚かされてしまうし、現在においてもなお『ライ麦畑でつかまえて』＝禁書というイメージは強いようだ。

カポーティ

1924 - 1984

元祖「オネエ系文化人」の心の闇

アメリカの小説家。トルーマン・ガルシア・カポーティ。幼い頃に両親が離婚、アメリカ南部の親戚の家を転々とする。学校教育はほぼ受けず、独学だった。19歳のとき『ミリアム』でデビュー、『遠い声遠い部屋』で天才少年の出現と騒がれた。『ティファニーで朝食を』のヒロイン、男を渡り歩くホリー・ゴライトリーは母がモデル。

「フェアリー」としてテレビ出演

カポーティは、面白おかしく話す「フェアリー（おかま）」なキャラクターでテレビ出演し、読者層以外にも人気を博した。

ゲイの恋人のひとりはDV男で、真夜中のドライブ中に暴力を振るわれ、車から放り出されたカポーティは、ほうほうの体で明かりのついている家を目指してたどり着くが、ドアを開けた相手から「オーマイガー、カポーティじゃん」と言われて目の前でバタンと扉を閉められてしまった。そうした泥水をすするような経験をいかにも楽しそうに友人たちに語ってまわった（ドキュメンタリー映画『トルーマン・カポーティ 真実のテープ』によれば、のちにDV男とは絶縁したが、彼の娘を養女にしている）。

遊び好きの社交家として振る舞っていたカポーティだが、作家としては向上心が非常に強く、ひとつの作品が成功すると、次の作品の内容やスタイルを前作とはがらりと変え、さらなる高みを目指す挑戦を続けていた。

友人のプライヴァシーをあばいた『叶えられた祈り』

実際にあった殺人事件の死刑囚に肉薄し、犯罪ノンフィクション小説というジャンルを構築して大評判を得た『冷血』。その次回作として構想・執筆されつつも未完成に終わった『叶えられた祈り』は奇妙な作品だ。

20世紀中盤のアメリカ・ニューヨークの社交界の猥雑な空気を背景に、人間の性(さが)を描きたかったのだろうか。酒とドラッグに蝕(むしば)まれてしまったカポーティが、途中で何を書きたかったのか、自分でもよくわからなくなり、作品の中で「迷子」になっていくような内容で恐ろしい。

友人たちをモデルにした人物を作中に登場させ、彼らのプライヴァシーを無断であばいたことも大問題となった。カポーティが世話になったテネシー・ウィリアムズ（→P260）は、プラザ・ホテルの一室に多頭飼育した犬たちと暮らし、糞であふれた部屋に男娼を呼んで、1時間60ドルで犬の散歩をさせるゲイの作家として描かれている。ウィリアムズは怒り、「どんな種類の犬もプラザ・ホテルでは飼っていなかった」と、少々ズレた反論をした（※ジェラルド・クラーク『カポーティ』）。

ニューヨークの上流階級にとって、地方の貧困家庭出身で、小柄、毒舌、愛想がよくて「フェアリー」なカポーティはよい道化役だったのだろう。カポーティは、自分を道化として消費する上流階級に一矢報いたくなったのかもしれない。

しかし、『叶えられた祈り』のタイトルむなしく、ニューヨークにおける居場所と交友関係の大半を失ってしまったカポーティはロサンゼルスに引っ越し、当地で心臓発作を起こして亡くなった。59歳だった。

文豪こぼれ話

異常な迷信深さ

カポーティは、異常なほど迷信深かった。毎月13日は決して仕事をしない、灰皿に煙草の吸いさしを3本以上は溜めない、階段の13段目は必ず飛ばすなどさまざまなルールを厳格に守って生活していた。また、ベッドの上に帽子が置きっぱなしになっていると、烈火のごとく怒ったという。自分で決めたルールを、バカバカしいとは思いつつ、止めることができなかった。

近現代文豪 珍事・トラブル・不祥事 年表

日本の文豪

年	元号	出来事
1885	明治18	森鷗外、脚気論争に参戦し北里柴三郎を猛批判
1886	明治19	二葉亭四迷、卒業2ヶ月前に東京外国語学校を退学
1890	明治23	森鷗外、石橋忍月の舞姫批評に猛反論（舞姫論争）
1891	明治24	森鷗外、坪内逍遥のシェイクスピア評に噛みつく（没理想論争）
1902	明治35	石川啄木、カンニングや無断欠席等により高校退学処分
1903	明治36	尾崎紅葉、弟子・泉鏡花と恋人の芸者を別れさせようとする

37歳のときの森鷗外（画像:国立国会図書館「近代日本人の肖像」）

世界の文豪

1892	ヘルマン・ヘッセ、神学校から逃げ出し悪魔祓いを受ける
1893	コナン・ドイル、『最後の事件』でシャーロック・ホームズを殺害
1893	ヘルマン・ヘッセ、書店員となるが3日で逃げ出す
1903	コナン・ドイル、『空き家の冒険』でシャーロック・ホームズを復活させる

マウルブロン修道院。ヘルマン・ヘッセは自身もマウルブロンの神学校から逃亡していた。

1886~1893年ごろ　ユイスマンスの師匠・ブーランVSガイタの心霊戦争

本書の振り返りとして、資料の多い近現代文豪にまつわる出来事について、時期のわかるものを紹介する。

西暦	和暦	出来事
1905	明治38	泉鏡花、赤痢にかかる（潔癖症の契機）
1906	明治39	石川啄木、借金が返せない言い訳を1メートル半の手紙にしたためる
1909	明治42	永井荷風、『ふらんす物語』が発売前に発禁処分
1909	明治42	佐藤春夫、文芸講演会で演説して総スカンを食う
1910	明治43	夏目漱石、幽体離脱
1912	明治45	北原白秋、人妻と不倫し姦通罪で告訴される
1913	大正2	島崎藤村、妊娠させた姪を置いて渡仏
1915	大正4	直木三十五、除籍された早稲田大学の卒業記念撮影に参加

1904~1908年ごろ
国木田独歩、妻と愛人との同居生活

1904~1909年ごろ
石川啄木、自ら借金メモに記録したものだけで計1372円50銭の借金

夏目漱石が幽体離脱した修善寺温泉。虹の郷内に旧菊屋旅館、漱石が泊まった部屋が移築・復元されている。

1910	マーク・トウェイン、本人の希望どおりハレー彗星とともにこの世を去る
1914	フランツ・カフカ、フェリーツェと婚約するがまもなく婚約解消

1916 大正5
志賀直哉、里見弴に
「汝 けがらわしき者よ」とハガキを送る

1921 大正10
梶井基次郎、「おれに童貞を捨てさせろ!」と叫ぶ

1921 大正10
柳原白蓮、不倫相手の
人権派弁護士と駆け落ち(白蓮事件)

1923 大正12
芥川龍之介、関東大震災で妻子を置いて逃げる

1925 大正14
中原中也、小林秀雄に恋人を奪われる

1925 大正14
宮沢賢治、岩波書店に『春と修羅』の
売れ残りで物々交換を頼む(黙殺される)

中原中也。帽子姿の肖像写真について、大岡昇平が現物と違いすぎることに驚くと、スネて写真を見せなくなった(「大岡昇平全集 18巻」)。(画像:国立国会図書館「近代日本人の肖像」)

1917
フランツ・カフカ、
フェリーツェと
2度目の婚約をするが
まもなく婚約解消

1919
フランツ・カフカ、
ユーリエと婚約するが
翌年婚約解消

1927	昭和2	宮沢賢治、高瀬露のライスカレーを拒んで童貞を貫く
1929	昭和4	宇野千代、心中未遂の血痕が残る布団で東郷青児と性行為
1930	昭和5	谷崎潤一郎と妻・千代、佐藤春夫が離婚と結婚を発表（細君譲渡事件）
1930	昭和5	菊池寛、『婦人公論』編集者を殴りつける
1931	昭和6	林芙美子、愛人の男を追いかけ、夫の制止を振り切って渡仏
1931	昭和6	中原中也、一人でカーニバルをやる
1933	昭和8	谷崎潤一郎、「御気に召しますまで御いぢめ遊ばして下さいまし」という手紙を人妻・根津松子に送る（両者は1935年結婚）
1933	昭和8	斎藤茂吉の妻・輝子が不純恋愛で摘発される（ダンスホール事件）

1927年3月〜
江戸川乱歩、「一寸法師」の出来に満足できず、1年2ヶ月の休筆

1932年3月〜
江戸川乱歩、印税によって生活に困らなくなったので1年7ヶ月の休筆

1926	アガサ・クリスティ失踪
1932	フィッツジェラルド、妻ゼルダの自伝的小説『ワルツは私と』に激怒

1934	昭和9	中原中也、初対面の太宰治を「青鯖が空に浮かんだような顔」と罵倒
1935	昭和10	中島敦、高校の教え子・小宮山静と別荘で過ごす
1935	昭和10	太宰治、『文藝通信』10月号で「刺す。」と川端康成に向けた文章を発表
1936	昭和11	太宰治、佐藤春夫に4メートルの手紙を送り第2回芥川賞を懇願
1936	昭和11	太宰治、檀一雄を待たせて井伏鱒二と将棋を指す（熱海事件）
1936	昭和11	中原中也、NHKの入社面接。内定をもらうが辞退
1939	昭和14	菊池寛、若い男の幽霊に襲われる
1943	昭和18	谷崎潤一郎、『細雪』の連載が戦時中なのに軟弱すぎるという理由で差し止められる（自費出版するも発禁）
1946	昭和21	三島由紀夫、太宰治に会い「僕は太宰さんの文学はきらいなんです」と発言
1947	昭和22	太宰治、「死ぬ気で恋愛してみないか」と愛人を口説く

旧制弘前高校時代に太宰治が使っていたノート。自画像のような人物画など大量の落書きがある。英語のノートには詩のような文章が学期ごとに増え、成績が落ちた時期と一致しているらしい。（画像：弘前大学附属図書館）

年	和暦	出来事
1948	昭和23	太宰治、確定申告を無視して多額の所得税がふりかかる
1948	昭和23	瀬戸内寂聴、夫と子を捨て青年と駆け落ちを試みるも失敗し一人で出奔
1951	昭和26	坂口安吾、カレーライスを１００人前注文
1954	昭和29	永井荷風、大金の入った鞄を紛失。拾われるが謝礼に関して揉める
1954	昭和29	坂口安吾、お好み焼きの鉄板に両手をつき火傷
1965	昭和40	谷崎潤一郎、「頭を踏んで」などと頼み込んでいた義理の息子の嫁・渡辺千萬子に突然の絶交状
1970	昭和45	三島由紀夫、陸上自衛隊市ヶ谷駐屯地に乱入し切腹
1978	昭和53	森茉莉、美輪明宏演出の『枯葉の寝床』舞台に激怒

1941年～1955年ごろ
江戸川乱歩、情報局の方針で探偵小説が書けなくなり、休筆

1954	ヘミングウェイ、2日連続で、乗っていた飛行機が墜落
1954	サリンジャー、『ライ麦畑でつかまえて』がカリフォルニア州の教育委員会に問題視され、禁書扱いとなる
1985	サリンジャー、評伝の出版に異議を申し立てる

引用文献・主要参考文献一覧（順不同）

〈書籍〉

- 阿部公彦 ほか監修『世界の文豪の家』エクスナレッジ、2016
- 伊藤信吉『萩原朔太郎研究』思潮社、1966
- 伊藤整『伊藤整作品集 第5巻』河出書房、1953：「文学的青春伝」
- 井波律子『奇人と異才の中国史』岩波書店、2005
- 井伏鱒二『自叙伝雞肋集』竹村書房、1936
- 宇野千代『私は夢を見るのが上手』中央公論新社、1992：
  対談 瀬戸内寂聴「おとこと文学と」
- 宇野千代『色ざんげ』岩波書店、2019
- 永井荷風『荷風全集 第24巻』岩波書店、1964
- 永井荷風『荷風全集 第25巻』岩波書店、1965：「断腸亭日乗」
- 永井義男『江戸の性の不祥事』Gakken、2009
- 加藤守雄『わが師折口信夫』朝日新聞出版、1991
- 夏目鏡子 述/松岡譲 筆録『漱石の思ひ出』岩波書店、2016
- 河原徳子『となりの文豪』風媒社、2014
- 巌谷大四『尾崎紅葉』人物往来社、1967
- 亀井勝一郎 ほか編『日本文学アルバム 第6』筑摩書房、1954
- 吉田精一 編『樋口一葉研究』新潮社、1956：半井桃水「一葉女史」
- 久米正雄『微苦笑随筆』文芸春秋新社、1953：「地異人変記」
- 境忠一『評伝 宮沢賢治』桜楓社、1968
- 古書山たかし『怪書探訪』東洋経済新報社、2016
- 工藤庸子『評伝 スタール夫人と近代ヨーロッパ』東京大学出版会、2016
- 広津和郎『広津和郎全集 第5巻』中央公論新社、1988：「女給」
- 江戸川乱歩『探偵小説四十年』桃源社、1961
- 江戸川乱歩『乱歩随筆―江戸川乱歩自選随筆集』青蛙房、2016：
  「私の履歴書」
- 江戸川乱歩/新保博久 ほか編『乱歩 上』講談社、1994：「乱歩打明け話」
- 江口渙『わが文学半世記』青木書店、1953
- 行方昭夫『モームの謎』岩波書店、2013
- 国木田独歩/国木田治子 編『独歩書簡』新潮社、1910
- 此経啓助『明治人のお葬式』現代書館、2001
- 今井源衛『紫式部』吉川弘文館、1985
- 佐藤春夫『定本佐藤春夫全集 第13巻』臨川書店、2000：
  「天下太平三人学生」
- 佐藤春夫『定本佐藤春夫全集 第19巻』臨川書店、1998：「恋、野心、芸術」
- 佐伯彰一 ほか編『三島由紀夫全集 27（評論3）』新潮社、1975：
  「永遠の旅人――川端康成氏の人と作品」
- 斎藤正昭『紫式部伝』笠間書院、2005
- 斎藤茂太『回想の父茂吉 母輝子』中央公論社、1993
- 三浦正雄/矢原秀人『あの世はあった―文豪たちは見た！ふるえた！』
  ホメオシス、2006
- 三島由紀夫『仮面の告白』新潮社、2020
- 三島由紀夫『決定版三島由紀夫全集14』新潮社、2002：「暁の寺」
- 三島由紀夫『荒野より』中央公論新社、2016
- 三島由紀夫『太陽と鉄・私の遍歴時代』中央公論新社、2020年
- 三島由紀夫『不道徳教育講座 改版』角川書店、1999
- 三島由紀夫『小説家の休暇』新潮社、1982
- 三島由紀夫/東雅夫 編『幻想小説とは何か 三島由紀夫怪異小品集』
  平凡社、2020：「タルホの世界」
- 山口謠司『ドロドロ文豪史』集英社インターナショナル、2021
- 山田風太郎『人間臨終図巻』2-4、徳間書店、2011
- 山内祥史『太宰治研究 12』和泉書院、2004：
  相馬正一「太宰治の芥川体験―実在の日記が語る真実」
- 山本芳明『カネと文学』新潮社、2013
- 紫式部/山本淳子 訳註『紫式部日記』角川学芸出版、2010
- 鹿島茂『パリの王様たち』文藝春秋、1998

●室生犀星『随筆　女ひと』新潮社、1955
●柴門ふみ『恋する文豪』角川書店、2006
●秋庭太郎『考證永井荷風』岩波書店、1966
●諸田龍美『中国詩人烈伝』淡交社、2020
●小沼ますみ『ショパンとサンド』音楽之友社、2010
●小沼ますみ『ショパン失意と孤独の最晩年』音楽之友社、1992
●小泉博明『斎藤茂吉の人間誌』彩流社、2022
●小林秀雄　編『現代日本文学館　第30』文藝春秋、1966
●植田康夫『自殺作家文壇史』北辰堂出版、2008
●森於菟『解剖台に凭りて』富士出版、1947
●森光子『吉原花魁日記』朝日新聞出版、2010
●森銑三『明治人物逸話辞典　下巻』東京堂出版、1965
●森茉莉『森茉莉全集　5　マリアの気紛れ書き』筑摩書房、1993：「マリアの気紛れ書き」、やまだ・とおる「ぼくから見た、母茉莉」（月報1）
●森鷗外『鷗外全集　著作編　第26巻』岩波書店、1953：「統計に就ての分疏」
●真壁仁『人間茂吉　下』三省堂、1967
●進士素丸『文豪どうかしてる逸話集』KADOKAWA、2019
●瀬戸内寂聴『生きた書いた愛した　対談・日本文学よもやま話』新潮社、2000
●瀬戸内晴美『かの子撩乱』講談社、1983
●瀬戸内晴美『私小説』集英社、1985
●萩谷朴　校注『枕草子　新潮日本古典集成』上・下、新潮社、2017
●石井千湖『文豪たちの友情』新潮社、2021
●石川啄木『啄木全集　第7巻』、筑摩書房、1968
●倉持三郎『『チャタレー夫人の恋人』裁判　日米英の比較』彩流社、2007
●相馬黒光『黙移』法政大学出版局、1961：「島崎先生の講義ぶり」「信子その当時の心境」
●東松露香　校訂『父の終焉日記　―茶遺稿』岩波書店、1922
●大谷晃一『生き愛し書いた　織田作之助伝』講談社、1973
●大野英士『ユイスマンスとオカルティズム』新評論、2010
●檀一雄『わが青春の秘密』新潮社、1976
●檀一雄『小説　太宰治』審美社、1992
●中原フク　述／村上護　編『私の上に降る雪は　わが子中原中也を語る』講談社、1998
●中川越　ほか『NHKラジオ深夜便　文豪通信』河出書房新社、2020
●中山義秀『中山義秀全集　第8巻』新潮社、1972：「花園の思索」
●中谷孝雄『梶井基次郎』筑摩書房、1969
●津島美知子『回想の太宰治』人文書院、1997
●梯久美子『愛の顛末』文藝春秋、2018
●伝農浩子『ミス・ポターの夢をあきらめない人生』講談社、2016
●田山花袋『東京の三十年』創元社、1948
●田村欣実『こだわり百閒の噂ばなし』文芸社、2020
●田中英光『田中英光全集　第4』芳賀書店、1965：「太宰さんのこと」
●田中英光『田中英光全集　第11』芳賀書店、1965
●田鍋幸信　編著『中島敦・光と影』新有堂、1989
●島崎藤村学会　編『論集島崎藤村』おうふう、1999
●頭木弘樹　ほか『NHKラジオ深夜便　絶望名言』飛鳥新社、2023
●内田百閒『内田百閒集成　6　間抜けの実在に関する文献』筑摩書房、2003：「漱石遺毛」
●内田百閒『百鬼園日記帖続』三笠書房、1936
●内田魯庵『おもひ出す人々』筑摩書房、1948：「硯友社の勃興と道程」
●日本放送出版協会　編集『NHK歴史ドキュメント8』日本放送出版協会、1988
●萩原朔太郎、那珂太郎『萩原朔太郎全集　第9巻』筑摩書房、1976：「詩壇に出た頃」
●板坂剛『極説・三島由紀夫　切腹とフラメンコ』夏目書房、1997
●俵万智『牧水の恋』文藝春秋、2018

●北原東代『白秋片影』春秋社、1995
●北原白秋『白秋全集39』岩波書店、1988
●北小路健『一茶の日記』立風書房、1987
●木庭宏 編『ハイネ散文作品集 第3巻 回想記』松籟社、1992
●里見弴『君と私 志賀直哉をめぐる作品集』中央公論新社、2023：「志賀君との交友記」
●澁澤龍彦『澁澤龍彦 1928-1987』筑摩書房：「穴ノアル肉体ノコト」「オブジェと化した肉体」
●林芙美子『巴里の恋』中央公論新社、2011
●安藤精一 編『紀州史研究 4』国書刊行会、1989
●遠藤周作『ぐうたら人間学 狐狸庵閑話』講談社、1976
●中川右介『昭和45年11月25日 三島由紀夫自決、日本が受けた衝撃』幻冬舎、2010
●飯塚英一『評伝マーク・トウェインⅠ』彩流社、2014
●アンドレ・モロワ／辻昶 ほか訳『ヴィクトール・ユゴー 詩と愛と革命 上』新潮社、1961
●D・H・ロレンス／伊藤整 訳『完訳チャタレイ夫人の恋人』新潮社、1996
●アダム・ザモイスキ／大西直樹 ほか訳『ショパン プリンス・オブ・ザ・ロマンティックス』音楽之友社、2022
●アナイス・ニン／杉崎和子 訳『インセスト アナイス・ニンの愛の日記』彩流社、2008
●キャシー・N・デイヴィドソン 編／出淵敬子 訳『恋する作家たち』ディーエイチシー、1994
●ジェラルド・クラーク／中野圭二 訳『カポーティ』文藝春秋、1999
●デイートマー・グリーザー／宮内俊至 訳『最後の恋』北樹出版、2015
●トルーマン・カポーティ／川本三郎 訳『叶えられた祈り』新潮社、2006
●ビルギット・アダム／瀬野文教 訳『王様も文豪もみな苦しんだ性病の世界史』草思社、2003
●フランツ・カフカ／頭木弘樹 編訳『絶望名人カフカの人生論』新潮社、2014
●マーク・トウェイン／有馬容子 訳『細菌ハックの冒険』彩流社、1996
●マイケル・ブース／寺西のぶ子 訳『ありのままのアンデルセン』晶文社、2017
●ロナルド・ヘイマン／平野和子 訳『テネシー・ウィリアムズ』平凡社、1995
●ロバート・バルディック／岡谷公二 訳『ユイスマンス伝』Gakken、1996
●J・E・オースティン＝リー／中野康司 訳『ジェイン・オースティンの思い出』みすず書房、2011
●『現代日本文学全集88 昭和小説集（3）』筑摩書房、1958
●『現代日本文学大系37』筑摩書房、1985
●『現代日本文学大系92』筑摩書房、1973：森茉莉「気違ひマリア」
●瀬戸内晴美『夏の終り』新潮社、1966
●『渋沢竜彦 新文芸読本』河出書房新社、1993：出口裕弘「後ろ姿の澁澤龍彦」
●『中央公論108（7）（1296）』（国立国会図書館デジタルコレクション）中央公論新社、1993-1006：佐藤春夫「谷崎千代への手紙」
●『島崎藤村 文芸読本』河出書房新社、1979、小島信夫「東京に移った同族」
●『別冊文藝春秋（206）』文藝春秋、1994-01（国立国会図書館デジタルコレクション）：森田誠吾「『山月記』考」
●『明治文学全集30』筑摩書房、1972：樋口一葉「若葉かげ（若葉かけ）」

〈雑誌〉

●『新潮64（12）（752）』新潮社、1967-12（国立国会図書館デジタルコレクション）：遠藤周作「合わない洋服」
●『新潮74（10）（872）』新潮社、1977-10（国立国会図書館デジタルコレクション）：高岩とみ「漂泊のかたみ――亡き檀一雄に」
●『新潮77（9）（907）』新潮社、1980-09（国立国会図書館デジタルコレクション）：宇野千代「それは刃物が導いた」
●『新潮79（7）（929）』新潮社、1982-07（国立国会図書館デジタルコレクション）：瀬戸内晴美「ここ過ぎて」連載第十七回

●『新潮 95（7）（1122）』新潮社、1998-07（国立国会図書館デジタルコレクション）：「太宰治アルバム」

●『ユリイカ 3（1）』青土社 、1971-01（国立国会図書館デジタルコレクション）：澁澤龍彦「三島由紀夫氏を悼む」

●『週刊新潮 25（42）（1276）』新潮社、1980-10（国立国会図書館デジタルコレクション）：森茉莉「ドッキリチャンネル」連載59

●岡野他家夫 監修『新聲 12巻』ゆまに書房、1983

〈論 文〉

●小林将輝「書斎の静寂のユートピア 共同生活をした引きこもりというグリム兄弟像について」『駿河台大学論叢 53 111-127』2016

●鈴木すゞ江「岡本かの子のお洒落」『青山學院女子短期大學紀要 56 83-104』2002

●関口安義『芥川龍之介とその時代』筑摩書房、1999

●孫昊「川端康成の代筆問題及び文体問題に関する計量的研究」同志社大学、2018

●髙山秀三「トーマス・マンと女性」『京都産業大学論集・人文科学系列 41 93-132』京都産業大学、2010

●寺嶋美雪「クロードとサンドーズ、二人のゾラ『制作』における芸術家の告白」『仏語仏文学研究 36 95-118』東京大学仏語仏文学研究会、2008

●西尾治子「ジョルジュ・サンドの女性思想 その両義性と現代性」『慶應義塾大学日吉紀要・フランス語フランス文学 54 33-60』慶應義塾大学日吉紀要刊行委員会、2012

●万足卓「ゲーテのバラード その魅惑の秘密」『金沢大学法文学部論集・文学篇 23（83）118-003』金沢大学法文学部、1976

●寺内孝「ディケンズはキャサリンと和解できたか？」『ディケンズ・フェロウシップ日本支部年報』第29号（2006年10月）

●林進「トーマス・マンと三島由紀夫」『大谷女子大学紀要 29（1）』大谷女子大学志学会、1994

●Fumitaka Ojima "Shakespeare As A Tithe Holder" 経営論集 第60号（2003年3月）

〈WEB〉

●青空文庫：芥川龍之介「或旧友へ送る手記」「大正十二年九月一日の大震に際して」、石橋忍月「舞姫」、岡本かの子「鶴は病みき」、紀貫之「土佐日記」、北村透谷「厭世詩家と女性」、坂口安吾「デカダン文学論」、田山花袋「蒲団」、夏目漱石「倫敦消息」「思い出す事など」、萩原朔太郎「僕の孤独癖について」、宮沢賢治「春と修羅」、室生犀星「我が愛する詩人の伝記」、森鷗外「ヰタ・セクスアリス」「柵草紙の山房論文」「伊沢蘭軒」、正岡子規「歌よみに与ふる書」、佐藤春夫「或る文学青年像」、太宰治「富嶽百景」「川端康成へ」 https://www.aozora.gr.jp/

●レファレンス協同データベース（登録番号:1000042134）https://crd.ndl.go.jp/reference/detail?page=ref_view&id=1000042134

●文春オンライン「ビートたけし〝フライデー襲撃事件〟の56年前 作家・菊池寛が『出版社に殴り込みに行った』事件とは」 https://bunshun.jp/articles/-/39059

●坂口安吾デジタルミュージアム「坂口安吾について」 https://ango-museum.jp/introduction/

●VOCE「【黒柳徹子】夢はどこでも見られます。現実がどうであろうと。」 https://i-voce.jp/feed/1549949/

●The New York Times"Marguerite Duras, 81, Author Who Explored Love and Sex" https://www.nytimes.com/1996/03/04/nyregion/marguerite-duras-81-author-who-explored-love-and-sex.html

●Los Angeles Times"Shakespeare was ruthless profiteer and tax dodger, study says" https://www.latimes.com/business/la-xpm-2013-apr-01-la-fi-mo-shakespeare-profiteer-20130401-story.html

堀江宏樹　ほりえ・ひろき

歴史エッセイスト。

1977年生まれ、大阪府出身。早稲田大学第一文学部フランス文学科卒。事実やデータに基づいて人物の内面に独自のアプローチで迫る作風で、幅広いファン層を持つ。

主な著書に『乙女の日本史』『乙女の日本史　文学編』（以上、KADOKAWA）、『ときめく源氏物語』『本当は怖い世界史』『本当は怖い日本史』『愛と欲望の世界史』『隠されていた不都合な世界史』（以上、三笠書房）、『ドラマティック百人一首』（大和書房）、『フェティシズムの世界史』（竹書房）などがある。

こじらせ文学史
文豪たちのコンプレックス

2024年5月21日　初版発行

著　者　堀江宏樹
発行人　園部充
発行所　株式会社ABCアーク
〒105-0004
東京都港区新橋6-22-6 JOYOビル4階
電話 03-6453-0640［代表］　048-485-8685［注文］
https://abc-arc.asahi.co.jp/
印刷・製本　株式会社シナノパブリッシングプレス
装丁　坂川朱音（朱猫堂）
本文デザイン　坂川朱音・小木曽杏子（朱猫堂）
DTP　小木曽杏子・小林由衣（朱猫堂）
校正・校閲　株式会社東京出版サービスセンター

ISBN:978-4-910473-03-1